VOA, CARA! VOA!

Márcia Fernandes

VOA, CARA! VOA!

MAGIAS, ORAÇÕES, ENCANTAMENTOS E CONSELHOS PARA MELHORAR SUA VIDA

principium

Texto fixado conforme as regras do Novo Acordo Ortográfico da Língua Portuguesa (Decreto Legislativo nº 54, de 1995).

Editor responsável: Guilherme Samora
Editora assistente: Gabriele Fernandes
Preparação: Ariadne Martins
Revisão: Adriana Moreira Pedro e Patricia Calheiros
Foto de capa: Cauê Moreno
Design de capa: Guilherme Samora
Ilustrações: iStock
Projeto gráfico e diagramação: Douglas Kenji Watanabe

CIP-BRASIL. CATALOGAÇÃO NA PUBLICAÇÃO
SINDICATO NACIONAL DOS EDITORES DE LIVROS, RJ

F41v

Fernandes, Márcia
Voa, cara! Voa!: magias, orações, encantamentos e conselhos para melhorar sua vida / Márcia Fernandes. — 1ª ed. — São Paulo: Principium, 2022.

ISBN 978-65-88132-16-6

1. Magia. 2. Orações. 3. Superstição. I. Título.

22-78951 CDD-133.43
CDU-133.4

Meri Gleice Rodrigues de Souza — Bibliotecária — CRB-7/6439

1ª edição, 2022

Editora Globo S.A.
Rua Marquês de Pombal, 25
Rio de Janeiro, RJ — 20230-240
www.globolivros.com.br

Dedico este livro a Jesus,
o comandante deste planeta.

Antes de fazer qualquer uso de ervas, plantas, outros recursos para banho ou produto (atenção às informações do rótulo), certifique-se de que não é alérgico a nenhum componente citado. Na dúvida, sempre busque orientação médica. Este produto e/ou procedimento tem fundamento somente espiritual, portanto não substitui consultas de ordem médica, psicológica e psiquiátrica.

Tenha cuidado com velas — jamais as deixe sem supervisão.

Tenha cuidado especial com plantas se tiver pets e crianças em casa.

SUMÁRIO

NOTA DA AUTORA

Estamos passando por um momento complicado do mundo. E nossa vida, naturalmente, é impactada. Seja pelo lado material — a falta de dinheiro, a crise econômica, as doenças —, seja pelo lado espiritual, nossa vida pode se tornar sombria, pode parecer que estamos em um beco sem saída.

Acredite, eu sei bem o que é passar por situações de dificuldade financeira. Em minha infância, morei em um quartinho com cinco pessoas. A comida era muito bem dividida e quase todos os dias nosso prato era apenas arroz e feijão. Maçã, por exemplo, fui experimentar apenas na adolescência. Mas não era sofrido, não. E eu tinha fé. Eu vivia cercada de amor. E foi nesse tempo difícil que aprendi valores e maneiras de vencer os obstáculos.

Diariamente, recebo mensagens desesperadas, pedidos de ajuda. Grande parte desses pedidos é muito parecida e tem muito a ver com esse estágio em que a Terra se encontra. Pensando nisso, resolvi escrever este livro. São reflexões, conselhos, orações, magias e frases que te ajudarão neste momento.

E, como sei que quem está em uma situação ruim tem urgência, todas as dicas aqui são práticas, fáceis de fazer e rápidas. Pegue este livro, entenda o que é mais forte para você agora e siga. Mas siga com fé. Sem fé, não adiantam magias, orações… E também não adianta nada ter fé e ficar parada(o), sem agir! Corre, galera. Se sua vida parece muito parada, siga meus conselhos a partir daqui.

Voa, cara! Voa!

Márcia Fernandes

1. AUTOESTIMA — SE VOCÊ NÃO SE AMAR, QUEM É QUE VAI?

Se eu te perguntar agora quem é a pessoa mais importante da sua vida, a pessoa que você mais ama, o que você vai responder? Seus filhos, sua mãe, seu/sua companheiro(a)? Errado. A pessoa que você mais deve amar nesta vida é você mesma(o). Se você não se amar, fica difícil atrair amor e coisas boas. E fica difícil amar o próximo. Quer ver?

"Autoestima." Ultimamente, essa palavra tem sido muito usada. Mas você pensa no real significado dela? O que é autoestima na prática? Se amar. Sentir mais a vida, estar de bem com sua existência, estar confiante com sua própria essência, é a capacidade de acreditar, aceitar, amar a si mesma(o) em toda sua plenitude e estar conectada(o) ao sublime Divino.

Na sua vida, imagine aquela pessoa que todos já encontramos: que só reclama, para quem nada está bom, que diz que a vida dela não presta, que vive "largada", sem um mínimo de cuidado, de amor-próprio. Por mais que a gente queira ajudar, aquilo nos faz tão mal, que a gente acaba se afastando da pessoa. Obviamente que ninguém vive na "felicidade" o tempo todo. Temos dias melhores e piores. E assim é a vida. Mas temos que nos amar, temos que vibrar positivamente. Então, para a vida começar a andar, você precisa se reconectar consigo mesma(o). Se gostar. Se amar. Ser alguém com um padrão vibratório mais elevado. Só de pensar nisso, você já vai se ajudar. Vigie. Quando vier um pensamento negativo, que te coloca para baixo, se eleve. Pense em algo bom. E grite "xô!" para as energias negativas.

A vida é um presente, não tem que ser um fardo. Claro que precisamos ter em mente que estamos aqui para aprender. A Terra é o terceiro plano, onde temos dívidas para quitar, dívidas de vidas anteriores (falo mais sobre isso adiante). Mas quite e tente não criar mais dívidas!

E se eu te perguntar quem é você? O que você se considera? Um monte de luz ou um monte de porcaria? Você sabe o que quer da sua vida? Tem planos para o futuro? Como quer estar daqui a dez anos? Faça uma lista com todos os seus planos e desejos mais profundos, que estão no fundo do seu coração, e acredite que vai realizá-los!

Em primeiro lugar, você precisa aprender a amar cuidar da sua saúde. Se alimentar bem, comer frutas, verduras e legumes, beber bastante água. Sim, uma alimentação saudável é muito importante para o corpo físico e espiritual. Quer uma dica? Ainda na cama, logo depois de acordar, tome água. Como seu estômago está vazio, a água correrá direto até o intestino, evitando que ele fique preso. E, não sei se você sabe, mas o intestino pode ser considerado o nosso segundo cérebro, ou seja, o bom funcionamento dele é essencial para o equilíbrio de todo o nosso organismo. Muitas mulheres se queixam de ter o intestino preso. Aí, não tem jeito. É o popular "enfezada", isto é, cheia de fezes. Não dá para viver assim!

E não se esqueça de fazer exames clínicos periodicamente, um check-up, para ver como você está e curar o que precisa ser curado. Se você cuidar para que seu corpo receba os nutrientes, os sais minerais e as vitaminas adequados, ele é capaz de se regenerar sozinho. Você é uma máquina perfeita!

Além da alimentação, faça exercícios físicos regularmente. "Ah, mas não tenho tempo." Levante mais cedo do que acorda normalmente e, antes de ir trabalhar, faça meia hora de caminhada. Não precisa ir à academia todo dia se sua agenda for apertada ou se não tiver grana para pagar a mensalidade. Existem alguns treinos que utilizam até mesmo objetos que temos em casa: sofá, cadeira etc. É só pesquisar e colocar em prática. Sua saúde física e sua saúde mental agradecem.

Outra forma fundamental de cuidar de si mesma(o) é orar, meditar, elevar a sua alma com pensamentos positivos, de energia boa. E, claro, ser grata(o). Falamos disso na página 127. Também ame, ame e ame! Enquanto estiver nesta existência, precisa amar, ter compaixão e empatia com o seu próximo.

Querida(o), essa alma, esse corpinho que você tem, foi Deus quem te deu para aprender a ser melhor a cada dia, para evoluir durante sua experiência na Terra. Mesmo com a certeza da morte, a vida é linda. Sorria, seja feliz. Ponha um fim naquilo que estiver sugando sua energia, te deixando para baixo, acabando com a sua alegria de viver. Repita comigo, como um mantra: eu sou luz, eu sou abundância, eu sou linda(o), eu sou gostosa(o), eu sou maravilhosa(o). Se coloque em primeiro lugar, só assim você conseguirá cuidar verdadeiramente dos outros.

Quando eu morrer, quero tirar pelo menos uma nota 7. E você? Se ame e se cuide! Afinal, a vida é eterna e você vai ter que se aguentar por milênios…

ORAÇÕES/ MAGIAS

Oração da cura

Querido Deus, meu Pai e minha Mãe.

Peço para ser banhada(o) e iluminada(o) pela luz branca de Cristo, pela luz verde da cura e pela luz violeta da transmutação.

Pelo bem superior e dentro da verdade Divina, peço que todas as vibrações dissonantes sejam removidas, encerradas em sua própria luz, levadas à fonte para serem purificadas, não retornando mais para nós ou qualquer outra pessoa.

Peço para ser utilizada(o) como canal para minha cura (ou de quem estiver precisando, fale o nome da pessoa).

Estou procurando o meu bem superior (ou de quem estiver precisando, fale o nome da pessoa) de acordo com a minha vontade e a vontade de Deus.

Peço que este local seja inundado de luz.

Que eu (ou quem estiver precisando, fale o nome da pessoa) seja rodeada(o) de luz.

Peço a proteção do tríplice escudo da luz branca de Cristo.

Neste momento, aceito essas forças de cura que atuam em mim ou através de mim, aceitando apenas aquilo que está a serviço da Vontade Divina.

Quero expressar minha gratidão por todas as bênçãos que recebemos, acompanhadas da manifestação da cura.

Banho para autoestima, ânimo, coragem e emprego

Ingredientes
– 2 litros de água
– 1 espada-de-são-jorge

Como fazer
Ferva a água com a planta (sem cortá-la). Coe, deixe a água ficar morninha e, após seu banho higiênico, banhe-se do pescoço para baixo. Durma com o banho. É ótimo!

Dica: para que o banho dê ainda mais resultado, faça em uma terça-feira de lua cheia.

Plantas de cada signo

As plantas têm o poder de modificar totalmente a energia do ambiente. E cada signo tem as suas preferidas. Se mantiver um vaso delas em casa, ajudarão não só a embelezar, mas também a te dar ânimo e autoestima.

ÁRIES
Plantas sagradas: abre-caminho, agrião, aroeira, carqueja, espada-de-são-jorge, pata-de-vaca, pinhão-roxo.

TOURO
Plantas sagradas: alecrim-do-campo, alfavaca, eucalipto, guiné-caboclo, lavanda, jurema.

GÊMEOS
Plantas sagradas: alecrim, alfazema, hortelã, manjericão, margarida.

CÂNCER
Plantas sagradas: graviola, língua-de-vaca, rosa amarela.

LEÃO
Plantas sagradas: alfavaca-roxa, erva-de-são-joão, hortelã, levante, mangueira, manjerona, cravo vermelho.

VIRGEM
Plantas sagradas: alfavaca-roxa, babosa, canela-de-velho, mamona, arruda, aroeira, rosa branca.

LIBRA
Plantas sagradas: graviola, língua-de-vaca, rosa amarela.

ESCORPIÃO
Plantas sagradas: alfavaca, avenca, crisântemo roxo, erva--cidreira, quaresmeira, pinhão-roxo, manjericão roxo, violeta roxa.

SAGITÁRIO
Plantas sagradas: alfazema, bambu, espada-de-iansã, louro, manjericão, romã, para-raio, rosa vermelha.

CAPRICÓRNIO
Plantas sagradas: alfavaca-roxa, babosa, canela-de-velho, mamona, arruda, aroeira, cravo branco.

AQUÁRIO
Plantas sagradas: alecrim, boldo, erva-cidreira, hortelã, malva, copo-de-leite.

PEIXES

Plantas sagradas: alfazema, jasmim, lágrima-de-nossa--senhora, lavanda, pata-de-vaca, rosa branca.

PÍLULAS DE SABEDORIA DA MÁRCIA

A pessoa que você mais deve amar nesta vida é você mesma(o). Cuide-se e ame-se.

Você fica tratando o "amorzinho" como se fosse seu/sua filho(a), morre e mata por ele(a): fique sabendo que ele(a) não tem a menor obrigação de fazer o mesmo! Ame-se primeiro, para depois amar os outros! Ou ele(a) vai te dar um pé na bunda rapidinho.

Você quer ser um monte de luz ou um monte de porcaria?

Na vida, sempre tem aquela pessoa alto-astral, bacana, poderosa e cheia de carisma de quem todos querem ser amigos. E tem aquela pessoa pobre coitada que vive reclamando, se coloca pra baixo, que acha que tudo está errado, vive desleixada, que ninguém quer ter por perto. Pare e pense: você está mais para qual dessas pessoas?

Cuidar do corpinho é importante, claro. Mas se você estiver com o coração sujo, com a mente imunda, com pensamentos negativos, vai ser infeliz!

2. PARA PROSPERAR — VOA, COM DINHEIRO E SUCESSO!

Ser uma pessoa espiritualista é aprender todos os dias que estamos neste plano para nos aperfeiçoar, lapidar o nosso ser interior, a nossa alma. Se eu quero ser uma pessoa próspera, ter grana, um bom emprego, uma casa bacana, um carro legal, não posso focar apenas em acumular posses. Claro que o material é importante para sobrevivermos na Terra, afinal precisamos comer, beber, nos vestir etc. O problema é quando nosso foco é somente esse: ter, ter e ter, e nos fechamos nisso. Damos menos do que recebemos. Se você acha que a vida é só juntar e não repartir, então não entendeu coisa nenhuma!

É bom ter dinheiro para colocar um bom implante de dentes em vez de uma dentadura; é bom ter dinheiro para ter uma casa grande, um carro zerinho, um relógio caro... Mas a gente acaba se esquecendo de que felicidade não tem a ver com o tamanho da casa. Se sou feliz, o carro novo ou velho vai me levar ao mesmo lugar. Com felicidade, eu não vou me importar se vou ver as horas em um relógio de 100 mil ou de 10 mil reais.

Certa vez, comprei uma camisa linda de uma loja muito chique. Fiquei bastante feliz com a peça e não via a hora de vesti-la. No entanto, ela só serviria em mim se a usasse aberta, com um top por baixo. E se passaram um, dois, três dias com a camisa ainda no cabide, no guarda-roupa. Então a filha de uma funcionária veio em casa e, assim que bati o olho nela, pensei no mesmo momento que a peça ficaria ótima nela. Ofereci para a moça, ela aceitou e a vestiu. E ficou perfeita nela. Dias depois, de repente, uma amiga me presenteou com um vestido maravilhoso. Quantas vezes na nossa vida não acontecem coisas assim? É dando que se recebe.

Abra seu guarda-roupa. Olhe o que tem lá dentro, parado há tempo. Você ainda tem o vestido de noiva de décadas atrás? E aquela jaqueta de mais de quinze anos que nem entra mais no seu braço? Tem um scarpin que não serve mais, pois o pé inchou? Pra quê? Tenha dó! Tire essa energia parada. Doe tudo o que você não usa. Dê um respiro para sua casa. Abra espaço para o novo entrar. O novo pode ser um objeto ou algo de bom, até mesmo um marido/uma esposa!

Por exemplo, se você tem uma estante de livros, de tempos em tempos veja se não tem algum que não te serve mais, que só está lá pegando pó. Às vezes ele pode ser útil para outra pessoa. Cuidar também é isso, rever o que temos, o que realmente ainda precisamos, e doar o que não nos ajuda mais, passar para a frente. Ao longo dos anos, é normal que as nossas necessidades se transformem. Algo que cinco anos atrás era muito importante para a minha jornada pode já não ser mais.

Colhemos o que plantamos, então quanto mais eu doar, mais vou receber. É uma questão de funcionamento do universo, de inteligência cósmica. E o que eu dou para o universo é o que eu recebo. Posso fazer muitos planos de coisas que desejo conquistar: casa, carro, viagem, emprego, dinheiro. Mas se eu não faço a minha parte, não ajudo alguém necessitado que está na minha frente na rua, não tenho paciência de ligar para os meus pais para dar boa-noite, não ofereço uma palavra de carinho para um amigo, fica difícil ser próspera(o).

Além disso, precisamos sempre cuidar de tudo que temos. E muitas vezes não temos essa noção, de que precisamos cuidar de absolutamente tudo! Por exemplo, uma plantinha que tenho em casa. Se eu não cuidar dela, regá-la, adubá-la, deixá-la um

tempo sob a luz do sol, ela vai morrer. Se eu não cuidar das minhas bijuterias, não as guardar e limpar da forma adequada, elas vão oxidar e estragar. Da mesma maneira, se eu não cuidar do meu pensamento, dos meus sentimentos; do amor pela minha mãe, pelo meu pai, pelo meu/minha companheiro(a), pelos meus filhos, ele vai acabar. E o principal: precisamos cuidar de nós mesmos. Da nossa saúde física, mental e espiritual.

Ser próspera(o) não significa só ter dinheiro:

– Prosperidade é fazer o que se ama;

– Prosperidade é ser o que realmente quer ser;

– Prosperidade é sentir-se feliz grande parte de seu dia, de sua existência.

Outro ponto importante para ter prosperidade na vida é você acreditar que pode prosperar. Sim, você precisa acreditar que é capaz de ganhar dinheiro, de ter o emprego dos sonhos, uma casa maravilhosa, o carro que quer! Nunca se esqueça: meu pensamento fabrica aquilo que eu desejo. Os átomos e as moléculas fabricam aquilo em que eu ponho força e importância. Se eu só pensar na escassez, pôr força só no medo, em coisas negativas, é isso que vou atrair para a minha vida. Pense grande. Tenha coragem.

Além disso temos que aprender que a humildade é uma ferramenta maravilhosa para a prosperidade. Vamos pensar, por exemplo, num homem que é formado em medicina e está infeliz no Brasil. Seu sonho era morar no exterior desde pequeno. E se ele conseguir morar no exterior, conseguir o visto, ajeitar toda a vida lá fora, ele pode até trabalhar com outras coisas, mas será feliz. Veja bem: ele não "é" médico. Ele "está" médico. Não deixe que só uma coisa te defina. Avalie suas capacidades e habilidades. Veja se tem aquele curso que vai ajudar na promoção no trabalho. E, se não tiver, corra atrás! Ok, é engenheiro, maravilha. Mas também é bom aprender outra profissão, outro ofício de que gosta. Nunca sabemos o dia de amanhã. Se de repente não conseguir mais seu sustento da engenharia, poderá conseguir, por exemplo, fazendo pães artesanais. Trabalhava no administrativo e está desempregado? Pense em outra coisa, não existe emprego menos digno do que outro se é dele que tiramos o sustento sem fazer mal a ninguém. Lembre-se sempre: tudo aqui é passageiro. Nada, nada é nosso. Tudo aqui é emprestado.

Por último, outra coisa indispensável para atrair a prosperidade é não ter mágoa no coração. Perdoe e dê o perdão sempre. Liberte-se desse peso e, junto com todo o restante que falamos, verá como a prosperidade vai chegar até você.

ORAÇÕES/ MAGIAS

Plantas

Tenha sempre em casa plantas que atraem dinheiro, como o cominho.

Cobre

Em lojas de artigos religiosos, você encontra o pó de cobre. Pegue um pouco dele e coloque no rodapé da porta de entrada da sua casa. Se preferir, também pode passar o próprio fio de cobre pelo batente da porta. Assim, nada de ruim entrará no seu lar, além de atrair muito dinheiro e prosperidade.

Salmo 23

O Salmo 23 é um dos mais poderosos da Bíblia para você atrair a magia da prosperidade por toda a vida, principalmente

no aspecto material, financeiro, além de ser uma oração que proporciona paz, tranquilidade, proteção espiritual e conexão junto ao universo Divino.

Então, não deixe de orar o Salmo 23 diariamente, em casa e no ambiente de trabalho.

Um pouco mais trabalhoso, mas ótimo para quem deseja mil possibilidades financeiras, infinitas prosperidades em sua vida e muito dinheiro, pratique a Ladainha da Prosperidade orando 108 vezes ininterruptas o Salmo 23, um sábado por mês, iniciando às 9h15 da manhã.

> O Senhor é meu pastor, nada me faltará. Deitar-me faz em verdes pastos, guia-me mansamente a águas tranquilas. Refrigera a minha alma; guia-me pelas veredas da justiça, por amor do seu nome. Ainda que eu andasse pelo vale da sombra da morte, não temeria mal algum, porque Tu estás comigo; a Tua vara e o Teu cajado me consolam. Preparas uma mesa perante mim na presença dos meus inimigos, unges a minha cabeça com óleo, o meu cálice transborda. Certamente que a bondade e a misericórdia me seguirão todos os dias da minha vida; e habitarei na casa do Senhor por longos dias.

Salmos e signos

Outra dica de abundância, fartura, dinheiro e bonança é considerar o salmo para cada signo! Trago aqui o Salmo da Prosperidade de acordo com seu signo para que possa conquistar tudo de bom em sua vida.

ÁRIES

Os arianos devem ler, diariamente, o Salmo 10.

Por que estás ao longe, Senhor? Por que Te escondes em tempos de angústia? Os ímpios, na sua arrogância, perseguem furiosamente o pobre; sejam apanhados nas ciladas que maquinaram. Porque o ímpio gloria-se do desejo da sua alma, bendiz ao avarento, e renuncia ao Senhor. Pela altivez do seu rosto, o ímpio não busca a Deus; todas as suas cogitações são que não há Deus. Os seus caminhos atormentam sempre; os teus juízos estão longe da vista dele, em grande altura, e despreza aos seus inimigos. Diz em seu coração: Não serei abalado; porque nunca me verei na adversidade. A sua boca está cheia de imprecações, de enganos e de astúcia; debaixo da sua língua há malícia e maldade. Põe-se de emboscada nas aldeias; nos lugares ocultos mata o inocente; os seus olhos estão ocultamente fixos sobre o pobre. Arma ciladas no esconderijo, como o leão no seu covil; arma ciladas para roubar o pobre; rouba-o, prendendo-o na sua rede. Encolhe-se, abaixa-se, para que os pobres caiam em suas fortes garras. Diz em seu coração: Deus esqueceu-se; cobriu o seu rosto, e nunca isto verá. Levanta-te, Senhor. Ó Deus, levanta a Tua mão; não Te esqueças dos humildes. Por que blasfema o ímpio de Deus? Dizendo no seu coração: Tu não o esquadrinharás? Tu o viste, porque atentas para o trabalho e enfado, para o retribuir com Tuas mãos; a Ti o pobre se encomenda; Tu és o auxílio do órfão. Quebra o braço do ímpio e malvado; busca a sua impiedade, até que nenhuma encontres. O Senhor é Rei eterno; da sua terra perecerão os gentios.

Senhor, Tu ouviste os desejos dos mansos; confortarás os seus corações; os Teus ouvidos estarão abertos para eles; para fazer justiça ao órfão e ao oprimido, a fim de que o homem da terra não prossiga mais em usar da violência.

TOURO

Os taurinos devem ler, diariamente, o Salmo 45.

O meu coração ferve com palavras boas, falo do que tenho feito no tocante ao Rei. A minha língua é a pena de um destro escritor. Tu és mais formoso do que os filhos dos homens; a graça se derramou em teus lábios; por isso Deus te abençoou para sempre. Cinge a tua espada à coxa, ó valente, com a tua glória e a tua majestade. E neste teu esplendor cavalga prosperamente, por causa da verdade, da mansidão e da justiça; e a tua destra te ensinará coisas terríveis. As tuas flechas são agudas no coração dos inimigos do rei, e por elas os povos caíram debaixo de ti. O Teu trono, ó Deus, é eterno e perpétuo; o cetro do Teu reino é um cetro de equidade. Tu amas a justiça e odeias a impiedade; por isso Deus, o teu Deus, te ungiu com óleo de alegria mais do que a teus companheiros. Todas as tuas vestes cheiram a mirra e aloés e cássia, desde os palácios de marfim de onde te alegram. As filhas dos reis estavam entre as tuas ilustres mulheres; à tua direita estava a rainha ornada de finíssimo ouro de Ofir. Ouve, filha, e olha, e inclina os teus ouvidos; esquece-te do teu povo e da casa do teu pai. Então o rei se afeiçoará da tua formosura, pois ele é Teu Senhor; adora-O. E a filha de Tiro estará ali com presentes; os ricos do povo suplicarão o teu favor. A filha do rei é toda ilustre lá dentro; o seu vestido é entretecido de ouro. Levá-la-ão ao rei com vestidos bordados;

as virgens que a acompanham a trarão a ti. Com alegria e regozijo as trarão; elas entrarão no palácio do rei. Em lugar de teus pais estarão teus filhos; deles farás príncipes sobre toda a terra. Farei lembrado o teu nome de geração em geração; por isso os povos te louvarão eternamente.

GÊMEOS

Os geminianos devem ler, diariamente, o Salmo 22.

Deus meu, Deus meu, por que me desamparaste? Por que Te alongas do meu auxílio e das palavras do meu bramido? Deus meu, eu clamo de dia, e Tu não me ouves; de noite, e não tenho sossego. Porém Tu és santo, Tu que habitas entre os louvores de Israel. Em Ti confiaram nossos pais; confiaram, e Tu os livraste. A Ti clamaram e escaparam; em Ti confiaram, e não foram confundidos. Mas eu sou verme, e não homem, opróbrio dos homens e desprezado do povo. Todos os que me veem zombam de mim, estendem os lábios e meneiam a cabeça, dizendo: confiou no Senhor, que o livre; livre-o, pois nele tem prazer. Mas Tu és o que me tiraste do ventre; fizeste-me confiar, estando aos seios de minha mãe. Sobre Ti fui lançado desde a madre; Tu és o meu Deus desde o ventre de minha mãe. Não Te alongues de mim, pois a angústia está perto, e não há quem ajude. Muitos touros me cercaram; fortes touros de Basã me rodearam. Abriram contra mim suas bocas, como um leão que despedaça e que ruge. Como água me derramei, e todos os meus ossos se desconjuntaram; o meu coração é como cera, derreteu-se no meio das minhas entranhas. A minha força se secou como um caco, e a língua se me pega ao paladar; e me puseste no pó da morte. Pois me rodearam

cães; o ajuntamento de malfeitores me cercou, traspassaram-me as mãos e os pés. Poderia contar todos os meus ossos; eles veem e me contemplam. Repartem entre si as minhas vestes, e lançam sortes sobre a minha roupa. Mas Tu, Senhor, não Te alongues de mim. Força minha, apressa-Te em socorrer-me. Livra a minha alma da espada, e a minha predileta da força do cão. Salva-me da boca do leão; sim, ouviste-me, das pontas dos bois selvagens. Então declararei o Teu nome aos meus irmãos; louvar-te-ei no meio da congregação. Vós, que temeis ao Senhor, louvai-O; todos vós, semente de Jacó, glorificai-O; e temei-O todos vós, semente de Israel. Porque não desprezou nem abominou a aflição do aflito, nem escondeu dele o seu rosto; antes, quando ele clamou, O ouviu. O meu louvor será de Ti na grande congregação; pagarei os meus votos perante os que o temem. Os mansos comerão e se fartarão; louvarão ao Senhor os que o buscam; o vosso coração viverá eternamente. Todos os limites da terra se lembrarão, e se converterão ao Senhor; e todas as famílias das nações adorarão perante a Tua face. Porque o reino é do Senhor, e Ele domina entre as nações. Todos os que na terra são gordos comerão e adorarão, e todos os que descem ao pó se prostrarão perante Ele; e nenhum poderá reter viva a sua alma. Uma semente O servirá; será declarada ao Senhor a cada geração. Chegarão e anunciarão a sua justiça ao povo que nascer, porquanto Ele o fez.

CÂNCER

Os cancerianos devem ler, diariamente, o Salmo 8.

Ó Senhor, Senhor nosso, quão admirável é o Teu nome em toda a terra, pois puseste a Tua glória dos céus!

Tu ordenaste força da boca das crianças e dos que mamam, por causa dos teus inimigos, para fazer calar o inimigo e vingador. Quando vejo os Teus céus, obra dos Teus dedos, a Lua e as estrelas que preparaste; que é o homem mortal para que Te lembres dele? E o filho do homem, para que o visites? Pois pouco menor o fizeste do que os anjos, e de glória e de honra o coroaste. Fazes com que ele tenha domínio sobre as obras das Tuas mãos; tudo puseste debaixo de seus pés: todas as ovelhas e bois, assim como os animais do campo, as aves do céu e os peixes do mar, tudo o que passa pelas veredas dos mares. Ó Senhor, Senhor nosso, quão admirável é o Teu nome sobre toda a terra!

LEÃO

Os leoninos devem ler, diariamente, o Salmo 12.

Salva-nos, Senhor, porque faltam os homens bons; porque são poucos os fiéis entre os filhos dos homens. Cada um fala com falsidade ao seu próximo; falam com lábios lisonjeiros e coração dobrado. O Senhor cortará todos os lábios lisonjeiros e a língua que fala soberbamente. Pois dizem: Com a nossa língua prevaleceremos; são nossos os lábios; quem é senhor sobre nós? Pela opressão dos pobres, pelo gemido dos necessitados me levantarei agora, diz o Senhor; porei a salvo aquele para quem eles assopram. As palavras do Senhor são palavras puras, como prata refinada em fornalha de barro, purificada sete vezes. Tu os guardarás, Senhor; desta geração os livrarás para sempre. Os ímpios andam por toda parte, quando os mais vis dos filhos dos homens são exaltados.

VIRGEM

Os virginianos devem ler, diariamente, o Salmo 19.

> Os céus proclamam a glória de Deus e o firmamento anuncia a obra das Suas mãos. Um dia faz declaração a outro dia, e uma noite mostra sabedoria a outra noite. Não há linguagem nem fala onde não se ouça a Sua voz. A Sua linha se estende por toda a terra, e as Suas palavras até ao fim do mundo. Neles pôs uma tenda para o sol, o qual é como um noivo que sai do seu tálamo, e se alegra como um herói, a correr o seu caminho. A Sua saída é desde uma extremidade dos céus, e o Seu curso até a outra extremidade, e nada se esconde ao Seu calor. A lei do Senhor é perfeita e refrigera a alma; o testemunho do Senhor é fiel e dá sabedoria aos símplices. Os preceitos do Senhor são retos e alegram o coração; o mandamento do Senhor é puro e ilumina os olhos. O temor do Senhor é limpo e permanece eternamente; os juízos do Senhor são verdadeiros e justos juntamente. Mais desejáveis são do que o ouro, sim, do que muito ouro fino; e mais doces do que o mel e o licor dos favos. Também por eles é admoestado o Teu servo; e em os guardar há grande recompensa. Quem pode entender os seus erros? Expurga-me Tu dos que me são ocultos. Também da soberba guarda o Teu servo, para que se não assenhoreie de mim. Então serei sincero, e ficarei limpo de grande transgressão. Sejam agradáveis as palavras da minha boca e a meditação do meu coração perante a Tua face, Senhor, Rocha minha e Redentor meu!

LIBRA

Os librianos devem ler, diariamente, o Salmo 6.

Senhor, não me repreendas na Tua ira, nem me castigues no Teu furor. Tem misericórdia de mim, Senhor, porque sou fraco; sara-me, Senhor, porque os meus ossos estão perturbados. Até a minha alma está perturbada; mas Tu, Senhor, até quando? Volta-Te, Senhor, livra a minha alma; salva-me por Tua benignidade. Porque na morte não há lembrança de Ti; no sepulcro quem Te louvará? Já estou cansado do meu gemido; toda noite faço nadar a minha cama, molho o meu leito com as minhas lágrimas. Já os meus olhos estão consumidos pela mágoa, e têm-se envelhecido por causa de todos os meus inimigos. Apartai-vos de mim todos os que praticais a iniquidade; porque o Senhor já ouviu a voz do meu pranto. O Senhor já ouviu a minha súplica; o Senhor aceitará a minha oração. Envergonhem-se e perturbem-se todos os meus inimigos; tornem atrás e envergonhem-se num momento.

ESCORPIÃO

Os escorpianos devem ler, diariamente, o Salmo 9.

Eu Te louvarei, Senhor, com todo o meu coração; contarei todas as Tuas maravilhas. Em Ti me alegrarei e saltarei de prazer; cantarei louvores ao Teu nome, ó Altíssimo; porquanto os meus inimigos retornaram, caíram e pereceram diante da tua face. Pois Tu tens sustentado o meu direito e a minha causa; Tu Te assentaste no tribunal, julgando justamente. Repreendeste as nações, destruíste os ímpios; apagaste o seu nome para sempre e eternamente. Oh! Inimigo! Acabaram-se para sempre as assolações; e Tu arrasaste as cidades, e a sua memória pereceu com elas. Mas o Senhor está assentado perpetuamente; já preparou o Seu tribunal para julgar.

Ele mesmo julgará o mundo com justiça; exercerá juízo sobre povos com retidão. O Senhor será um alto refúgio para o oprimido, um alto refúgio em tempos de angústia. Em Ti confiarão os que conhecem o Teu nome; porque Tu, Senhor, nunca desamparaste os que Te buscam. Cantai louvores ao Senhor, que habita em Sião; anunciai entre os povos os seus feitos. Pois quando inquire derramamento de sangue, lembra-se deles; não se esquece do clamor dos aflitos. Tem misericórdia de mim, Senhor; olha para a minha aflição, causada por aqueles que me odeiam; Tu que me levantas das portas da morte. Para que eu conte todos os Teus louvores nas portas da filha de Sião, e me alegre na Tua salvação. Os gentios enterraram-se na cova que fizeram; na rede que ocultaram ficou preso o seu pé. O Senhor é conhecido pelo juízo que fez; enlaçado foi o ímpio nas obras de suas mãos. Os ímpios serão lançados no inferno, e todas as nações que se esquecem de Deus. Porque o necessitado não será esquecido para sempre, nem a expectação dos pobres será frustrada perpetuamente. Levanta-Te, Senhor; não prevaleça o homem; sejam julgados os gentios diante da Tua face. Põe-nos em medo, Senhor, para que saibam as nações que são formadas por meros homens.

SAGITÁRIO

Os sagitarianos devem ler, diariamente, o Salmo 20.

O Senhor Te ouça no dia da angústia, o nome do Deus de Jacó Te proteja. Envie-Te socorro desde o seu santuário, e Te sustenha desde Sião. Lembre-se de todas as Tuas ofertas, e aceite os Teus holocaustos. Conceda-Te conforme ao Teu coração, e cumpra todo o Teu plano. Nós nos alegraremos pela Tua salvação, e em nome do nosso Deus arvoraremos pendões; cumpra o Senhor todas as Tuas petições. Agora sei que o Senhor salva o seu ungido; ele o ouvirá desde o Seu santo céu, com a força salvadora da Sua mão direita. Uns confiam em carros e outros em cavalos, mas nós faremos menção do nome do Senhor nosso Deus. Uns encurvam-se e caem, mas nós nos levantamos e estamos de pé. Salva-nos, Senhor; ouça-nos o rei quando clamarmos.

CAPRICÓRNIO

Os capricornianos devem ler, diariamente, o Salmo 1.

Bem-aventurado o homem que não anda segundo o conselho dos ímpios, nem se detém no caminho dos pecadores, nem se assenta na roda dos escarnecedores. Antes tem seu prazer na lei do Senhor, e na Sua lei medita dia e noite. Pois será como a árvore plantada junto a ribeiros de águas, a qual dá o seu fruto no seu tempo; as suas folhas não cairão; e, tudo quanto fizer, prosperará. Não são assim os ímpios, mas são como a moinha que o vento espalha. Por isso os ímpios não subsistirão no juízo, nem os pecadores na congregação dos justos. Porque o Senhor conhece o caminho dos justos, porém o caminho dos ímpios perecerá.

AQUÁRIO

Os aquarianos devem ler, diariamente, o Salmo 30.

Exaltar-te-ei, ó Senhor, porque Tu me exaltaste; e não fizeste com que meus inimigos se alegrassem sobre mim. Senhor meu Deus, clamei a Ti, e Tu me saraste. Senhor, fizeste subir a minha alma da sepultura; conservaste-me a

vida para que não descesse ao abismo. Cantai ao Senhor, vós que sois seus santos, e celebrai a memória da Sua Santidade. Porque a Sua ira dura só um momento; no Seu favor está a vida. O choro pode durar uma noite, mas a alegria vem pela manhã. Eu dizia na minha prosperidade: Não vacilarei jamais. Tu, Senhor, pelo Teu favor fizeste forte a minha montanha; Tu encobriste o Teu rosto, e fiquei perturbado. A Ti, Senhor, clamei, e ao Senhor supliquei. Que proveito há no meu sangue, quando desço à cova? Porventura Te louvará o pó? Anunciará ele a Tua verdade? Ouve, Senhor, e tem piedade de mim, Senhor; Sê o meu auxílio. Tornaste o meu pranto em folguedo; desataste o meu pano de saco, e me cingiste de alegria, para que a minha glória a Ti cante louvores, e não se cale. Senhor, meu Deus, eu Te louvarei para sempre.

PEIXES

Os piscianos devem ler, diariamente, o Salmo 19.

Os céus proclamam a glória de Deus e o firmamento anuncia a obra das Suas mãos. Um dia faz declaração a outro dia, e uma noite mostra sabedoria a outra noite. Não há linguagem nem fala onde não se ouça a Sua voz. A Sua linha se estende por toda a terra, e as Suas palavras até o fim do mundo. Neles pôs uma tenda para o sol, o qual é como um noivo que sai do seu tálamo, e se alegra como um herói, a correr o seu caminho. A Sua saída é desde uma extremidade dos céus, e o Seu curso até a outra extremidade, e nada se esconde ao Seu calor. A lei do Senhor é perfeita e refrigera a alma; o testemunho do Senhor é fiel e dá sabedoria aos símplices. Os preceitos do Senhor são retos e alegram o coração; o mandamento do Senhor é puro e ilumina os olhos. O temor do Senhor é limpo e permanece eternamente; os juízos do Senhor são verdadeiros e justos juntamente. Mais desejáveis são do que o ouro, sim, do que muito ouro fino; e mais doces do que o mel e o licor dos favos. Também por eles é admoestado o Teu servo; e em os guardar há grande recompensa. Quem pode entender os seus erros? Expurga-me Tu dos que me são ocultos. Também da soberba guarda o Teu servo, para que se não assenhoreie de mim. Então serei sincero, e ficarei limpo de grande transgressão. Sejam agradáveis as palavras da minha boca e a meditação do meu coração perante a Tua face, Senhor, Rocha minha e Redentor meu!

A hora da misericórdia

Todos nós temos raiva e mágoa no coração, pois esperamos dos outros o que nós precisamos e não o que podem nos dar. Só com muita oração e vivência é que vamos perdendo o ego. Você quer ser próspera(o), ter dinheiro e amor? Só perdoando e sendo perdoada(o). Para isso, tenha humildade na alma.

A palavra "misericórdia" significa AMOR E PERDÃO. Às três da manhã (horário do sol), que é a hora da oração com Deus, fique de joelhos, levante as mãos e diga, sem pensar em ninguém:

"Dou a Misericórdia para quem me magoou. Peço a misericórdia de quem eu magoei."

Este perdão é feito no plano astral. Faça por dezesseis vezes, não necessariamente consecutivas.

Santo Expedito e o milagre da prosperidade urgente

Santo Expedito é um dos maiores santos da Igreja católica! Ele é considerado O santo, o patrono das causas urgentes e é conhecido como o padroeiro dos militares, dos estudantes e dos viajantes.

Antes de ser santo, ele era militar, chefe da Legião Romana e, segundo sua história contada pelos católicos, um dia ele foi tocado pela graça de Deus e resolveu mudar sua vida.

Contudo, o espírito do mal apareceu a ele em forma de corvo e lhe segredou: “cras, cras, cras”, expressão latina que quer dizer: “Amanhã, amanhã, é para deixar para amanhã! Não tenha pressa! Adie sua conversão!”.

Diante disso, Santo Expedito agiu imediatamente e, pisoteando o corvo, gritou “Hodie!” que significa “hoje”, querendo dizer “nada de protelar, é para já”.

Nas causas que exigem uma solução imediata e em todos os casos que qualquer demora poderia nos causar algum dano, Santo Expedito é sempre invocado.

A proposta de Santo Expedito é não deixar nada para amanhã e fazer tudo o que estiver para ser feito hoje, agora.

Por ser cristão e ter conseguido converter muitos soldados, foi perseguido pelo imperador Diocleciano. Após ser flagelado até derramar sangue, Santo Expedito teve a cabeça decepada em 19 de abril de 303 — os historiadores estão de acordo com a época e o local onde esse santo morreu puramente pela fé.

Caso precise ser atendida(o) com urgência ou saiba de alguém que precise, faça uma súplica a Santo Expedito, e ele certamente o ouvirá no mesmo instante.

Segue uma singela oração dele para você, caso necessite invocá-lo. Ore com bastante fé, perseverança e determinação.

Oração poderosa de Santo Expedito para alcançar uma graça Divina

Meu Santo Expedito das Causas Justas e Urgentes, socorrei-me nesta hora de aflição e desespero, intercedei por mim junto ao Nosso Senhor Jesus Cristo.

Vós que sois um Santo Guerreiro, vós que sois o Santo dos Aflitos, vós que sois o Santo dos Desesperados, vós que sois o Santo das Causas Urgentes, protegei-me, ajudai-me, dai-me força, coragem e serenidade.

Atendei ao meu pedido (faça seu pedido com fé), ajudai-me a superar estas horas difíceis, protegei-me de todos que possam me prejudicar, protegei a minha família, atendei ao meu pedido com urgência. Devolvei-me a paz e a tranquilidade. Serei grata(o) pelo resto de minha vida e levarei seu nome a todos que têm fé.

Santo Expedito, rogai por nós! Amém.

(Rezar uma vez o Pai-Nosso, uma vez a Ave-Maria e fazer o † sinal da cruz.)

Simpatia para obter emprego com Santo Expedito

Ingredientes

– 3 velas brancas
– 1 faca
– 1 fita verde de aproximadamente 30 centímetros
– fósforos

Como fazer

Pegue três velas brancas. Em seguida, escreva seu nome nelas com a faca (de cima para baixo, no pavio). Escreva

também: "Preciso de emprego". Na sequência, amarre as velas com uma fita verde de aproximadamente trinta centímetros. Dê três voltas e nove nós.

Em seguida, em um lugar seguro, acenda as velas com fósforo e ore nove vezes o Pai-Nosso com fé para que Santo Expedito abra seus caminhos e atenda a seu pedido. Depois que as velas terminarem de queimar, jogue no lixo comum. Aproveite os demais materiais para outras ocasiões.

Dicas: um dia ótimo para realizar a simpatia é no dia de Santo Expedito (19 de abril) ou em uma quinta-feira.

PÍLULAS DE SABEDORIA DA MÁRCIA

Ser uma pessoa espiritualista é aprender todos os dias que estamos neste plano para nos aperfeiçoar, lapidar o nosso ser interior, a nossa alma.

Colhemos o que plantamos. Então, quanto mais eu doar, mais vou receber. E o que eu dou para o universo é o que eu recebo. Se eu dou flores ao universo, recebo flores. Se eu dou merda, recebo merda!

O meu pensamento fabrica aquilo que eu desejo. Se eu só pensar na escassez, pôr força só no medo, em coisas negativas, é isso que vou atrair para a minha vida. Pense grande. Tenha coragem.

3. PARA CONSEGUIR UM EMPREGO — HORA DE ENGATAR UMA PRIMEIRA NA VIDA!

A falta de trabalho remunerado afeta duramente a vida de várias famílias, de mães e pais que precisam pôr comida na mesa e garantir o sustento dos filhos. E com a realidade atual, sobretudo depois do impacto da covid-19, essa questão se agravou ainda mais.

Segundo dados do Instituto Brasileiro de Geografia e Estatística (IBGE), no segundo trimestre de 2020 — ano em que explodiu a pandemia —, o número de pessoas desempregadas chegou a quase 13 milhões! Hoje, no momento em que escrevo este livro, as coisas estão começando a melhorar, mas recebo diariamente muitos pedidos de ajuda de vocês para conseguir se recolocar no mercado de trabalho.

Antes de passar os rituais que vão te ajudar a conseguir um emprego novo, quero falar um pouco sobre o ato de trabalhar. Não raro muitos reclamam de ter que trabalhar, de acordar cedo para ir à empresa, reclamam do patrão, da função que exercem no lugar, entre outros fatores. Você que está lendo, precisamos entender que trabalhar é algo maravilhoso! Sim, precisamos amar trabalhar. No mundo ideal, todos trabalhariam com algo que, pelo menos, se identifiquem.

Que coisa boa ser remunerado por causa de algo de que gostamos de fazer e que fazemos bem. "Ah, Márcia, mas não gosto do que eu faço." Então, minha cara leitora, meu caro leitor, procure fazer algo de que você goste. "Não dá, não tenho dinheiro para estudar e aprender outra profissão."

Trabalhe um tempo com o que você não gosta e, enquanto isso, estude para conseguir uma bolsa no curso que você tem interesse, por exemplo. Ou se profissionalize com foco no que você quer. Vai ser um período de mais sacrifício? Vai. Mas tudo na vida é mutável. Não precisamos ficar presos a uma situação, a uma profissão de que não gostamos. E digo mais: nesta jornada, ainda mais no Brasil, vamos aprendendo a fazer mais de uma coisa, aprendendo mais de uma habilidade. Assim, se uma porta se fechar, conseguiremos aproveitar outra que se abriu.

Nós, brasileiros, trabalhamos muito. Mas, invariavelmente, nos sentamos à frente da TV ou do celular no começo da noite, nos entupimos de comida e não estudamos, não lemos um livro que pode nos ensinar coisas novas. Veja o povo japonês: a maior parte se alimenta de forma saudável, trabalha por horas e horas e ainda arruma tempo para estudar. Pois eles entendem que precisam estudar para ter uma vida melhor. O conhecimento é uma ferramenta poderosa!

E, sim, você veio para este mundo para ser feliz. Trabalhar com o que gosta faz muito bem para você e para os que receberão os frutos do seu trabalho. Se trabalhar infeliz, essa energia pesada vai parando sua vida e também vai chegar às pessoas que dependem das suas habilidades de alguma forma. Pense nisso. Claro que trabalho sempre vai ter algumas coisas ruins, obstáculos, vai ser difícil em muitos momentos, afinal, é trabalho, não é diversão. Trabalhar dá trabalho! Não ache que veio ao mundo para passear.

Pensando no momento difícil que enfrentamos e nas poucas possibilidades que podemos ter disponíveis, vou reunir aqui algumas dicas bárbaras para conseguir um emprego. E, na página 57, vamos falar um pouco sobre foco e futuro profissional, para você conquistar aquilo que deseja.

ORAÇÕES/ MAGIAS

Banho de chá de alpiste para prosperidade

Para ser feito às terças-feiras.

Ingredientes
– 2 litros de água
– 1 colher de sopa de alpiste
– 1 colher de sopa de açúcar mascavo
– 1 ramo de alecrim

Como fazer
Coloque a água para ferver e, quando borbulhar, acrescente o alpiste, o açúcar e o alecrim. Deixe esfriar e depois coe. Tome o banho com ele do pescoço para baixo.

Também lave o chão de sua casa/ escritório/ comércio às segundas-feiras com esse preparo.

Cebola-roxa para conseguir emprego

Faça para você mesmo ou para quem precisa do emprego. Sempre às terças-feiras.

Ingredientes
– 1 cebola-roxa média ou grande
– 2 pregos grandes

Como fazer
Pegue a cebola-roxa e espete os pregos paralelamente nela. Ao inserir cada prego, peça a São Jorge (guerreiro corajoso)

que ajude a conseguir o novo emprego. Reze também nove Pais-Nossos todos os dias mentalizando seu pedido. Coloque a cebola num pote e ponha em cima da geladeira. Quando ela murchar, jogue-a na natureza.

A vitória com São Jorge

São Jorge simboliza o trabalho, a luta, a guerra, a vitória, e na natureza se liga aos metais. Um santo guerreiro, corajoso, de muita fé e que está entre nós para cortar todo o mal e nos ajudar nas demandas da vida.

Ele nasceu na Capadócia, região da atual Turquia. Quando criança, foi morar na Palestina, órfão de pai. Na adolescência, passou a se dedicar às armas e demonstrar interesse pelas batalhas. Tornou-se capitão do Exército romano e conde da Capadócia, passando a morar na corte.

Após sua mãe falecer, indignado com a miséria dos cristãos, distribuiu sua herança aos pobres. Quando o imperador Diocleciano declarou que pretendia mandar matar todos os cristãos, Jorge o enfrentou, defendendo a fé a Jesus Cristo em plena corte romana.

Por causa da sua crença, ele foi torturado, e mesmo assim nunca renegou Jesus Cristo. Quando viu que Jorge continuaria cristão, o imperador mandou degolá-lo, em 23 de abril de 303.

Banho de São Jorge para quem está desempregado

Ingredientes

– 1 litro de água (em temperatura ambiente)
– 50 gramas de carqueja fresca

– 50 gramas de losna fresca
– 50 gramas de alecrim fresco

A carqueja fresca purifica os sentimentos, os pensamentos, as emoções passadas, proporciona novos desafios na vida, eleva a autoestima. A losna fresca promove limpeza energética e afasta sentimentos negativos. E o alecrim fresco, considerado a "erva sagrada da alegria", promove saúde e clareza mental, potencializa a concentração nos estudos, proporciona iluminação espiritual, atrai prosperidade.

Como fazer
Macere bem as ervas na água. Em seguida, coe. Após seu banho higiênico, banhe-se do pescoço para baixo orando nove vezes o Pai-Nosso para São Jorge e peça seu emprego no astral com muita fé e determinação. Não se enxágue nem se enxugue. Durma com o banho.

Dica: faça esse banho no dia de São Jorge (23 de abril) ou às terças-feiras.

PÍLULAS DE SABEDORIA DA MÁRCIA

Entenda que trabalhar é algo maravilhoso! Ainda mais se for algo com o que nos identificamos. Mas trabalhar dá trabalho! Não é diversão.

Nesta jornada, temos que ser como aquela palha de aço: ter mil e uma utilidades.

Tudo na vida é mutável. Não precisamos ficar presos a uma situação, a uma profissão de que não gostamos.

4. SE LIVRE DAS DÍVIDAS — ADEUS, BOLETOS

Crise na economia, inflação nas alturas, desemprego... Se você é brasileira(o), sabe como está complicado ir ao mercado comprar itens básicos para sobreviver: arroz, feijão, óleo... Até mesmo verduras, legumes e frutas, como o tomate, estão custando como se fossem de ouro! E o preço do botijão de gás? E os reajustes altíssimos das contas de água e luz?

Essa situação colabora para que, infelizmente, cada vez mais pessoas fiquem endividadas. Desesperadas, recorrem a empréstimos com juros altíssimos, estouram o limite do cartão de crédito e recebem um boleto atrás do outro.

Todos os endividados, claro, têm a obrigação de pagar o que devem. Mas para o plano astral e para Deus, importa muito mais a intenção que essa pessoa tem de cumprir com seus compromissos do que o pagamento em si. Então, se você não tem um real para pagar uma dívida vencida, mas está comprometida(o) de coração a destinar o primeiro um real que conquistar para quitá-la, tudo bem. É isso que Deus quer de você.

Se você é uma pessoa bem-intencionada, está com muitas dívidas e tem perdido o sono por causa delas, as dicas a seguir vão te ajudar. Tenha fé e confiança máxima de que Deus não erra.

ORAÇÕES/ MAGIAS

Jejum

Fique dezesseis dias sem sexo e sem consumir álcool e carne vermelha. Durante esse período, tome um banho com chá de boldo do pescoço para baixo e reze diariamente os salmos 40 e 41. Ao longo desses dias, ore na intenção de que consiga pagar todas as suas dívidas. Peça pela misericórdia de Deus e por um milagre, acredite!

Salmo 40

Esperei com paciência no SENHOR, e Ele se inclinou para mim e ouviu o meu clamor. Tirou-me dum lago horrível, dum charco de lodo, pôs os meus pés sobre uma rocha, firmou os meus passos. E pôs um novo cântico na minha boca, um hino ao nosso Deus; muitos o verão, e temerão, e confiarão no Senhor. Bem-aventurado o homem que põe no Senhor a sua confiança, e que não respeita os soberbos nem os que se desviam para a mentira. Muitas são, Senhor meu Deus, as maravilhas que tens operado para conosco, e os Teus pensamentos não se podem contar diante de Ti; se eu os quisera anunciar, e deles falar, são mais do que se podem contar. Sacrifício e oferta não quiseste; os meus ouvidos abriste; holocausto e expiação pelo pecado não reclamaste. Então disse: Eis aqui venho; no rolo do livro de mim está escrito. Deleito-me em fazer a Tua vontade, ó Deus meu; sim, a Tua lei está dentro do meu coração. Preguei a justiça na grande congregação; eis que não retive os meus lábios, Senhor,

Tu o sabes. Não escondi a Tua justiça dentro do meu coração; apregoei a Tua fidelidade e a Tua salvação. Não escondi da grande congregação a Tua benignidade e a Tua verdade. Não retires de mim, Senhor, as Tuas misericórdias; guardem-me continuamente a Tua benignidade e a Tua verdade. Porque males sem-número me têm rodeado; as minhas iniquidades me prenderam de modo que não posso olhar para cima. São mais numerosas do que os cabelos da minha cabeça; assim desfalece o meu coração. Digna-te, Senhor, livrar-me: Senhor, apressa-Te em meu auxílio. Sejam à uma confundidos e envergonhados os que buscam a minha vida para destruí-la; tornem atrás e confundam-se os que me querem mal. Desolados sejam em pago da sua afronta os que me dizem: "Ah! Ah!". Folguem e alegrem-se em Ti os que Te buscam; digam constantemente os que amam a Tua salvação: Magnificado seja o Senhor. Mas eu sou pobre e necessitada(o); contudo o Senhor cuida de mim. Tu és o meu auxílio e o meu libertador; não Te detenhas, ó meu Deus.

Salmo 41

Bem-aventurado é aquele que atende ao pobre; o SENHOR O livrará no dia do mal. O Senhor O livrará, e O conservará em vida; será abençoado na terra, e tu não o entregarás à vontade de seus inimigos. O Senhor O sustentará no leito da enfermidade; tu o restaurarás da sua cama de doença. Dizia eu: Senhor, tem piedade de mim; sara a minha alma, porque pequei contra ti. Os meus inimigos falam mal de mim, dizendo: Quando morrerá ele, e perecerá o seu nome? E, se algum deles vem me ver, fala coisas vãs; no seu coração amontoa a maldade; saindo para fora, é disso que fala. Todos os que me odeiam murmuram à uma contra mim; contra mim imaginam o mal, dizendo: Uma doença má se lhe tem apegado; e agora que está deitado, não se levantará mais. Até o meu próprio amigo íntimo, em quem eu tanto confiava, que comia do meu pão, levantou contra mim o seu calcanhar. Porém Tu, Senhor, tem piedade de mim, e levanta-me, para que eu lhes dê o pago. Por isto conheço eu que Tu me favoreces: que o meu inimigo não triunfa de mim. Quanto a mim, Tu me sustentas na minha sinceridade, e me puseste diante da Tua face para sempre. Bendito seja o Senhor Deus de Israel de século em século. Amém e Amém.

Ajuda, Santa Edwiges!

Santa Edwiges é considerada a "padroeira dos pobres e endividados", e isso tem tudo a ver com sua vida simples e de caridade. Ela nasceu na Bavária, Alemanha, em 1174, filha de uma família nobre. Desde criança, Edwiges já dava sinais de desapego material.

Aos doze anos, casou-se com o duque da Silésia e da Polônia, Henrique I, então com dezoito anos, e tiveram juntos sete filhos. Aos vinte anos, Edwiges sentiu o chamado de Jesus Cristo. Após conversar com seu marido, os dois decidiram seguir o voto de abstinência sexual.

A partir daí, eles começaram a ajudar várias pessoas, entregaram-se fielmente à caridade. Sabendo que muitos eram presos em virtude de dívidas, Edwiges passou a visitar os presídios, saldar as contas com o próprio dinheiro, libertar os encarcerados e ainda lhes arrumava um emprego. Ela e seu

marido fundaram muitos mosteiros, entre eles, o de Trebnitz, na Polônia, do qual sua filha se tornou abadessa. Henrique I construiu o Hospital da Santa Cruz, em Breslau, e Edwiges, um hospital para leprosos em Neumarkt, onde assistiam pessoalmente pessoas que sofriam da doença.

Além do marido, Edwiges viu seis de seus sete filhos morrerem. Ela continuou o hábito religioso em Trebnitz dando sequência a seu trabalho em favor dos necessitados. Deus lhe concedeu o dom da profecia, e ela operou muitos milagres em enfermos. Santa Edwiges foi canonizada em 1266, pelo papa Clemente IV.

Agora, segue esta maravilhosa simpatia para você pagar as dívidas. Tenha fé, determinação e confira como é fácil prepará-la:

Ingredientes
– 1 folha de papel branco
– 1 envelope branco

Como fazer
Pegue uma folha de papel inteiramente branca e sem pauta (de preferência) e escreva detalhadamente tudo aquilo que você deve (banco, cartões, pessoas), além dos valores.

Em seguida, dobre o papel em quatro partes, coloque-o dentro do envelope escrevendo (do lado de fora do envelope) a seguinte frase: “A luz branca que emana do Senhor, me ajude a pagar as minhas dívidas”.

Guarde seu envelope no cantinho de oração (caso não tenha seu cantinho, abra a Bíblia no Salmo 41 e coloque o envelope sobre ela). Ponha sua mão sobre o envelope e ore a seguinte prece (por sete dias):

"Ó Santa Edwiges, Vós que na Terra fostes o amparo dos pobres, a ajuda dos desvalidos e o socorro dos endividados e no Céu agora desfrutais do eterno prêmio da caridade que na Terra praticastes. Me ajude a pagar minhas dívidas."

Assim que as primeiras dívidas forem quitadas, vá as riscando e agradecendo a Jesus Cristo.

Dica: uma boa data para iniciar a simpatia é o dia 16 de outubro, Dia de Santa Edwiges.

PÍLULAS DE SABEDORIA DA MÁRCIA 

Todos os endividados, claro, têm a obrigação de pagar o que devem. Mas para o plano astral e para Deus, importa muito mais a intenção que essa pessoa tem de cumprir com seus compromissos do que o pagamento em si.

Devo e pagarei, sim, com gratidão a pessoa que acreditou em mim!

Se a gente tem uma certeza na vida, além da morte, é a de que os boletos vão chegar!

Comprar uma blusinha nova é tentador. Mas, antes de comprar, você se pergunta se realmente precisa disso?

Um ser humano vazio de alma sempre vai precisar gastar, gastar e gastar, mesmo sem ter dinheiro, só para ter alguma sensação de prazer. Que dó!

5. FOCO — O QUE VOCÊ QUER DA SUA VIDA?

Um dos grandes desafios que temos em nossa vida, certamente, é disciplinar nossa mente, manter o foco em tudo que desejamos em nossa existência.

Com certeza, as pessoas mais bem-sucedidas percorreram um caminho que não foi nada fácil. Muitas vezes, enxergamos os resultados, mas não temos noção de como foi difícil o andar da carruagem para que a pessoa chegasse ao sucesso absoluto, porém devemos nos lembrar de que alguém bem-sucedido também deverá trabalhar muito para manter seu sucesso, ou seja, o trabalho, a determinação e a dedicação não finalizam por si só e continuam no decorrer da vida para qualquer tipo de ação.

Alguns dos requisitos para se dar bem tanto na vida pessoal como na financeira e profissional é a autodisciplina mental juntamente com a motivação.

Temos que traçar propósitos de vida em nossa caminhada existencial e correr atrás deles com coragem. Não basta apenas ter vontade de fazer as coisas, é preciso ter muita coragem de nossa parte para encarar os desafios do dia a dia até alcançarmos um ponto de êxtase, de conquistas, de sucesso.

Não podemos desistir no meio do caminho. É necessário reavaliar sempre o que estamos planejando para nossa vida. É isso aí, vamos seguir um planejamento de vida.

Escreva no papel quais são seus sonhos, seus objetivos de vida, os prazos para cumpri-los, quais as possibilidades e os recursos que você tem para chegar aonde deseja.

Se ficarmos parados olhando para o tempo, certamente nada cairá do céu. Precisamos de força, minha gente, e de educar nossa mente para entender que já somos seres humanos prósperos, apenas necessitamos de um empurrão de nós mesmos para que tudo dê certo. Você já pensou nisso?

Nossos desejos podem se concretizar, sim, pois nossa mente os cria a partir do momento que a disciplinamos. Não sabemos exatamente a grandeza do poder que a mente produz, mas façamos um teste. Pense fixamente em algo que deseja muito (positivo, é claro, que seja possível de acordo com suas possibilidades) e discipline sua mente para que tal desejo se torne realidade. Não conseguiremos vencer as batalhas da vida e conquistar sonhos se não tivermos o comando da mente a nosso favor.

Para você que está lendo este livro e ainda não se convenceu do poder de sua mente, faça este teste: compre dois vasos de plantinhas idênticas. Coloque-as no mesmo lugar e regue da mesma maneira as duas. Durante trinta dias, você vai pegar uma delas nas mãos e falar só coisas bonitas, falar o quanto ela é linda, tratá-la com amor. A outra, você vai dizer que é feia, tratar com raiva e desprezo. Depois desses dias, a que você tratou bem, crescerá. A que você tratou mal, estará feia, talvez até morta.

Em resumo, primeiramente, dê forças para você mesma(o), motive-se para a vida, ou seja, encontre motivos para agir, tenha sonhos, escreva-os no papel, determine prazos de conclusão para eles, planeje-se na medida do possível, eduque a mente para que seus desejos se tornem realidade (autodisciplina

mental), concentre-se em seu EU interior, em sua essência, mantenha o foco em cada etapa de seus propósitos de vida, caminhe lentamente, porém com determinação, coragem e poder de análise. Seja otimista, persistente e tudo conseguirá, afinal, sua mente a/o guia.

Por fim, tenhamos sempre em mente: a autodisciplina mental é um dos principais combustíveis para nosso sucesso em todos os campos de nossa vida.

ORAÇÕES/ MAGIAS

Salmo 34 — Para abrir caminhos

Louvarei ao Senhor em todo o tempo; o seu louvor estará continuamente na minha boca. A minha alma se gloriará no Senhor; os mansos O ouvirão e se alegrarão. Engrandecei ao Senhor comigo; e juntos exaltemos o Seu nome. Busquei ao Senhor, e Ele me respondeu; livrou-me de todos os meus temores. Olharam para Ele, e foram iluminados; e os seus rostos não ficaram confundidos. Clamou este pobre, e o Senhor o ouviu, e o salvou de todas as suas angústias. O anjo do Senhor acampa-se ao redor dos que O temem, e os livra. Provai e vede que o Senhor é bom; bem-aventurado o homem que Nele confia. Temei ao Senhor, vós, os seus santos, pois nada falta aos que temem. Os filhos dos leões necessitam e sofrem fome, mas àqueles que buscam ao Senhor bem nenhum faltará. Vinde, meninos, ouvi-me; eu vos ensinarei o temor do Senhor. Quem é o homem que deseja a vida, que quer largos dias para ver o bem? Guarda a tua língua do mal, e os teus lábios de falarem o engano. Aparta-te do mal, e faze o bem; procura a paz, e segue-a. Os olhos do Senhor estão sobre os justos, e os Seus ouvidos atentos ao seu clamor. A face do Senhor está contra os que fazem o mal, para desarraigar da terra a memória deles. Os justos clamam, e o Senhor Os ouve, e Os livra de todas as suas angústias. Perto está o Senhor dos que têm o coração quebrantado, e salva os contritos de espírito. Muitas são as aflições do justo, mas o Senhor O livra de todas. Ele lhe guarda todos os seus ossos; nem sequer um deles se quebra. A malícia matará o ímpio, e os que odeiam o justo serão punidos. O Senhor resgata a alma dos seus servos, e nenhum dos que Nele confiam será punido.

PÍLULAS DE SABEDORIA DA MÁRCIA 

Vai ficar aí parada(o) que nem tonta(o)? O que você quer não vai cair do céu!

Caminhe sempre, mesmo que lentamente. O importante é ter foco.

Você acha mesmo que você é o alecrim dourado que vai receber tudo de mão beijada? Sem planejar, plantar e batalhar não tem colheita pra você!

Para ter dinheiro, precisamos de 10% de intuição e 90% de dedicação e de trabalho!

6. CARMA E DARMA — NA VIDA ESPIRITUAL, TAMBÉM TEMOS CRÉDITO E DÉBITO

Falando em dívidas, pagamentos, foco... Quero entrar em um tema importante: carma e darma. Muitas vezes reclamamos da vida, de um problema muito difícil que surgiu, de um emprego que não é bom, de um relacionamento que de repente acabou, de uma doença que apareceu... Só não se esqueça de um pequeno detalhe: você não mora no céu, querida(o)! Você mora no planeta Terra! Aprenda isso de uma vez por todas: o planeta Terra é um planetinha bacana, tem muita coisa maravilhosa nele, sim, mas é um planeta de "expiaçãozinha" e de "provinha" o tempo todo. Isso mesmo: dá-lhe porrada em nós! Está achando o quê, queridinha(o)? Que está na quinta dimensão? Está nada. Acorda!

Nós estamos aqui na Terra pagando por tudo o que fizemos em vidas passadas, sempre buscando a evolução do nosso ser. Quer dizer, não exatamente *pagando*, porque todo esse processo tem a ver com carma e darma. Vou te explicar sobre eles:

Carma, do sânscrito, quer dizer a lei da ação ou a lei da causa. Resumindo, carma diz respeito a cobranças de atitudes e dívidas que tivemos nesta ou em outras vidas. É a própria lei da causa e efeito. Simples assim. Pense que, na verdade, não somos seres "sólidos", somos um aglomerado de partículas, de átomos, que não estão "grudados" uns nos outros, mas unidos por energia e esses átomos podem ser comandados por nós. Jesus, por exemplo, conseguia exercer esse comando, ele era perfeito, e entendia esse princípio. Quando nos relacionamos, trocamos energia um com o outro. Tocamos a aura um do outro. Então vamos imaginar que se alguém te ofender ou te jogar uma praga, emitiu átomos e elétrons que chegarão até você com essa energia negativa. E somos energia! Se por acaso você estiver fraca(o), vibrando numa energia menor, essa carga negativa, de ódio, pega em você. Pronto, essa pessoa criou um carma com você. Mas, veja só, essa mesma pessoa que te desejou mal um belo dia será ofendida e receberá a mesma carga de ódio que dirigiu a você.

É a roda da vida, colhemos o que plantamos. Você está onde se coloca. Se xingou, será xingada(o); se roubou, será roubada(o); se bateu, apanhará. Então fica o aprendizado: não crie carma com as pessoas, seja com sua família, seja numa discussão no trânsito, seja com sua/seu sogra(o)!

Somos responsáveis pelo que fazemos e pelo que deixamos de fazer. Essa frase é muito importante. Pensemos num exemplo que pode parecer bobo: você sabe que um vizinho está sem carro e precisa ir ao trabalho. O trajeto dele é o mesmo caminho que você faz para o seu emprego. Mas você acha o vizinho meio chatinho e resolve sair escondido, nem oferece carona. Pronto, você dançou.

Lembrando que existem também os carmas coletivos. Veja, por exemplo, os desastres naturais que cada vez mais acometem o nosso planeta: chuvas intensas, inundações, desmoronamentos etc. Tudo isso é resultado da ação humana que desmata florestas, desrespeita a natureza. "Ah, mas eu não faço nada disso", você pode me dizer. Mas não interessa, a sua civilização faz. E outra: todo mundo que vive na Terra a afeta diretamente. Já parou para pensar no MONTE de plástico que a gente joga fora? A maior parte dele acaba poluindo o solo, vai parar nos oceanos, e essa poluição afeta

o planeta inteiro. Ou seja, só de existir, de comprar coisas, de andar de carro ou de outros meios de transporte, a gente está poluindo, sim.

Já o **darma** deve ser muito desejado por todos nós. Sabe por quê? Porque ele é a chance de mudarmos o nosso carma, ele é a modificação do carma. Darma diz respeito à nossa missão de vida e também a deixar o nosso passado negativo para trás, superando-o. Como? Perdoando, perdoando e perdoando! E pedindo muito perdão também.

Pense que todos nós temos "fichas" no espaço sideral com nossos débitos e créditos. Sim, minha/meu filha(o), não adianta, nada fica escondido embaixo do tapete! Se você morresse agora, teria mais débitos ou mais créditos? Olha, eu quero pelo menos empatar os dois...

E o que fazer para evoluir? Mudar o padrão de pensamento e sentimento, mudar a nossa vibração. Você tem que se autoconhecer, porque assim passa longe de situações que vão te fazer mal e que, consequentemente, poderão te fazer criar carmas. E mais: se não tiver algo de bom para falar com alguém, fique quieta(o)! Desenvolva o sentimento de compaixão. E não adianta de cara querer acabar com a fome na Etiópia. Tente primeiro resolver os problemas de quem está próximo de você. Faça uma marmita para um morador de rua, por exemplo. Passe adiante os conhecimentos que você adquiriu num curso.

O que alivia carma:

– Adotar (e ter amor e cuidado, não apenas adotar por adotar) uma criança órfã;
– Fazer muuuuuita caridade;
– Dividir seu pão;
– Acolher quem sofre;
– Visitar asilos, orfanatos e doentes.

E, lembre-se sempre: Deus é maravilhoso. Deus não erra, quem erra somos nós. Temos o livre-arbítrio, e graças a ele escolhemos nossos caminhos, estamos onde nos colocamos. Então, só por hoje, não reclame, não crie carma. Pense nisso: você vai querer chegar ao fim de sua vida cheia(o) de crédito ou com mais débito a cumprir?

ORAÇÕES/ MAGIAS

Salmo 66

Reze esse salmo para ter força e coragem e eliminar o mal:

> Celebrai com júbilo a Deus, todas as terras. Cantai a glória do Seu nome; dai glória ao Seu louvor. Dizei a Deus: Quão tremendo és Tu nas Tuas obras! Pela grandeza do Teu poder se submeterão a Ti os Teus inimigos. Todos os moradores da terra Te adorarão e Te cantarão; cantarão o Teu nome. Vinde e vede as obras de Deus: é tremendo nos Seus feitos para com os filhos dos homens. Converteu o mar em terra seca; passaram o rio a pé; ali nos alegramos Nele. Ele domina eternamente pelo Seu poder; os Seus olhos estão sobre as nações; não se exaltem os rebeldes. Bendizei, povos, ao nosso Deus, e fazei ouvir a voz do Seu louvor, Ao que sustenta com vida a nossa alma, e não consente que sejam abalados os nossos pés. Pois Tu, ó Deus, nos provaste; Tu nos afinaste como se afina a prata. Tu nos puseste na rede; afligiste os nossos lombos, fizeste com que os homens cavalgassem sobre as nossas cabeças; passamos pelo fogo e pela água; mas nos trouxeste a um lugar

espaçoso. Entrarei em Tua casa com holocaustos; pagar-Te-ei os meus votos, os quais pronunciaram os meus lábios, e falou a minha boca, quando estava na angústia. Oferecer-te-ei holocaustos gordurosos com incenso de carneiros; oferecerei novilhos com cabritos.

Vinde, e ouvi, todos os que temeis a Deus, e eu contarei o que Ele tem feito à minha alma. A Ele clamei com a minha boca, e Ele foi exaltado pela minha língua. Se eu atender à iniquidade no meu coração, o Senhor não me ouvirá; Mas, na verdade, Deus me ouviu; atendeu à voz da minha oração. Bendito seja Deus, que não rejeitou a minha oração, nem desviou de mim a Sua misericórdia.

Oração da libertação

Eu em nome de minha família, rejeito toda a influência má que me foi transferida por hereditariedade, física, espiritual ou emocional.

Coloco a cruz de Jesus entre cada geração, † (fazer o sinal da cruz) e quebro todos os pactos e alianças, bem como todo jugo hereditário negativo.

Eu amarro todos os espíritos de hereditariedade má de minhas gerações e ordeno que saiam em direção à luz, em nome de Jesus. † (fazer o sinal da cruz)

Pai, peço perdão em nome de minha família a todas as criaturas que foram prejudicadas intencionalmente ou ofendidas involuntariamente, com a redenção e o perdão incondicional de todos os atos de má-fé praticados em todas as minhas gerações.

Pai, em nome de minha família, aceito o perdão, a misericórdia Divina e a redenção em nome de todos os antepassados.

Pai, quero emanar, neste momento, amor a todos os meus antepassados e minha eterna gratidão àqueles que, através do amor incondicional contribuíram para minha evolução e crescimento.

Que assim seja e assim será! † (sinal da cruz)
Que assim seja e assim será! † (sinal da cruz)
Que assim seja e assim será! † (sinal da cruz)

PÍLULAS DE SABEDORIA DA MÁRCIA

Colhemos o que plantamos. Você está onde se coloca. Se xingou, será xingada(o); se roubou, será roubada(o); se bateu, apanhará. Então fica o aprendizado: não crie carma com as pessoas.

Você vai querer chegar ao fim de sua vida cheia(o) de crédito ou com mais débito a cumprir?

Deus é maravilhoso. Deus não erra, quem erra somos nós. Temos o livre-arbítrio, e graças a ele escolhemos nossos caminhos, estamos onde nos colocamos. Então, só por hoje, não reclame, não crie carma.

O planeta Terra não é colônia de férias, não! A gente está aqui para evoluir. Ou você quer chegar aqui uma/um tonta(o) e sair daqui tão tonta(o) quanto chegou?

Se suas palavras fossem seu alimento: você seria saudável ou doente?

7. PARA SUPERAR O FIM DE UM RELACIONAMENTO — SE BASTE, SE GARANTA!

Quer me ver brava é quando algumas pessoas vêm até mim e falam sobre o fim do seu relacionamento. "Ai, Márcia, meu casamento não deu certo, ficamos 22 anos juntos e agora acabou." Como eu fico irritada! Cara, seu relacionamento deu muito certo. Durou 22 anos! Tem o que durou oito, dez, trinta anos, e a pessoa falando que NÃO deu certo! Trinta anos! Deu muito certo. Quem falou que deu errado? Aliás, você precisa parar de ficar reclamando do casamento que terminou para abrir caminhos para viver um novo, caso seja da sua vontade. Pare de falar como se fosse vítima, ok?

Seu casamento, seu namoro, deu certo, sim. Ele durou exatamente o que tinha que durar. E tudo bem que o relacionamento com determinada pessoa não seja para sempre. Pense que todos nós somos seres mutáveis, e isso significa que nossos interesses, nossos gostos mudam muito ao longo da vida. E vice-versa, ou seja, o mesmo acontece com o seu parceiro ou com a sua parceira.

Com certeza, em alguns casos o término vai causar muita dor e sofrimento. Mas você prefere ser uma pessoa falsa com você, trair os seus princípios e continuar nessa relação? Ou quer ficar com alguém que não se importa mais com você, com seus sentimentos, que não tem mais tesão por você?

Existe uma frase atribuída a Elke Maravilha que diz o seguinte: "Você escolhe a sua prisão". Qual a prisão você quer para si? Eu não quero nenhuma. É só parar para pensar que já é uma prisão ser humano. Não entendeu por quê? Vou explicar: fomos obrigados a viver no planeta Terra, um planeta da terceira dimensão, que é o plano da expiação, que causa sofrimento, dor, medo... Prisão. Aí tem o núcleo familiar: viemos para essa encarnação para aprender a amar, respeitar a família na qual nascemos, a qual por sua vez estamos "presos" por laços eternos. Sou enviada(o) para ficar nesse núcleo porque tenho algo a aprender nele. Ou seja, outra prisão. Já não chega de prisão?

E o seguinte: na separação, é preciso que ambas as partes da relação tenham maturidade suficiente para que percebam quando estão no relacionamento por comodismo e busquem um término amigável e o menos doloroso possível. Trair o companheiro ou a companheira não é correto. A traição, além de gerar sofrimento, cria carma. E você lembra do que falamos sobre o perigo de criar carma, certo? Se não, releia o capítulo 6.

E agora falo especialmente com a mulherada: se você está com um cara que não tem os mesmos planos que você de casar e formar uma família, e você está esperando há dez anos que ele tome uma decisão, olha, querida, ele NÃO quer um casamento. Está só enrolando! Área nele!

A mesma coisa se você está em um relacionamento abusivo e seu/sua parceiro(a) é violento(a) física e moralmente com você — sim, porque não existe apenas a violência física, mas a verbal também. O homem ou a mulher que xinga, humilha, grita está sendo violento com a(o) companheira(o).

Temos muito que mudar em sociedade ainda, claro, mas a situação especialmente da mulher tem melhorado aos poucos. Podemos ser independentes, estudar, trabalhar, ter o nosso dinheiro, conquistar cargos políticos e em empresas. Veja só os Estados Unidos, por exemplo, lá a vice-presidente atual é uma mulher, linda e inteligente, a Kamala Harris.

Podemos chegar aonde quisermos, chega de submissão, de achar que precisa ficar com um(a) companheiro(a) porcaria! Temos que preservar sempre a nossa dignidade, não ficar presa a um relacionamento abusivo que pode até causar doenças mentais, como ansiedade e depressão. Estude, trabalhe, seja dona(o) do seu nariz, seja livre, faça sua vida crescer!

Relacionamento amoroso é quando as pessoas apaixonadas se olham e correm na mesma direção, ou seja, é a decisão de partilhar esta jornada, com coisas boas e ruins, com os defeitos e as qualidades de cada um. E lembre-se: se o relacionamento terminou, tudo bem. Ele deu certo o tempo que era para durar. Desapegue, tire o foco de seus pensamentos no ex ou na ex, assim você conseguirá se livrar da energia negativa do término.

ORAÇÕES/ MAGIAS

Banho do ritual do esquecimento

Para despolarizar a sua mente e te ajudar a desapegar do ex. Faça às segundas-feiras.

Ingredientes
– 2 litros de água
– 6 folhas de boldo
– 6 anis-estrelados
– 36 cravos-da-índia

Como fazer
Coloque a água para ferver com todos os ingredientes por dez minutos em fogo baixo. Depois, leve a mistura ao liquidificador

e bata. Em seguida, coe e deixe esfriar. Tome o banho jogando o líquido da cabeça para baixo. Não enxágue, seque o cabelo com toalha e secador. Na hora de dormir, coloque uma bandana ou um lenço na cabeça.

E se quiser arrumar um novo amor, veja as dicas da página 77.

PÍLULAS DE SABEDORIA DA MÁRCIA

Se o seu relacionamento amoroso terminou, tudo bem. Ele durou exatamente o tempo que tinha que durar.

Podemos chegar aonde quisermos, chega de submissão, de achar que precisa ficar com um(a) companheiro(a) porcaria!

O relacionamento terminou? Se ficar chorando feito besta, vai perder o próximo, que pode ser o grande amor da sua vida.

Quem não me quer, não me merece.

Não preciso de alguém que me complete: eu já sou completa(o).

8. PARA ATRAIR O AMOR — BOM, LEVE E SEM RELACIONAMENTOS TÓXICOS

A maioria das pessoas deseja ter um amor, busca aquele companheiro ou companheira para passar a vida juntinho. Mas sempre vejo as pessoas reclamando de como essa busca está, digamos, "complicada".

E atenção: se você tem entre 28 e 29 anos, talvez a coisa esteja pior para o seu lado, que está com a sensação de que "a vida parou". É que nessa fase estamos no retorno de Saturno, então saiba que é normal ter aquela sensação de que "Meu Deus, vou ficar solteira(o) para sempre".

Mas, calma, a seguir vou mostrar simpatias que vão te ajudar a dar *match* com o seu amor.

ORAÇÕES/ MAGIAS

Salmo 111

> Louvai ao Senhor. Louvarei ao Senhor de todo o meu coração, na assembleia dos justos e na congregação. Grandes são as obras do Senhor, procuradas por todos os que nelas tomam prazer. A Sua obra tem glória e majestade, e a Sua justiça permanece para sempre. Fez com que as Suas maravilhas fossem lembradas; piedoso e misericordioso é o Senhor. Deu mantimento aos que o temem; lembrar-se-á sempre da Sua aliança. Anunciou ao

Seu povo o poder das Suas obras, para lhe dar a herança dos gentios. As obras das Suas mãos são verdade e juízo, seguros todos os Seus mandamentos. Permanecem firmes para todo o sempre; e são feitos em verdade e retidão. Redenção enviou ao seu povo; ordenou a sua aliança para sempre; santo e tremendo é o Seu nome. O temor do Senhor é o princípio da sabedoria; bom entendimento têm todos os que cumprem os Seus mandamentos; o Seu louvor permanece para sempre.

Pedra

Carregue um cristal/ quartzo rosa no meio do seio, pode ser no sutiã, ou mesmo no bolso. Essa pedra tem alta capacidade para atrair o amor.

Árvore

Procure uma árvore que tenha o tronco com 36 centímetros ou mais de circunferência (e não pode ter espinhos!). Dê um abraço forte nela e vá falando o quanto deseja encontrar a sua cara-metade, como sonha que ele(a) seja.

Banho com manjericão e mel

Faça antes de dormir, numa quarta-feira.

Ingredientes
– 2 litros de água

– 4 galhos de manjericão
– 1 colher (sopa) de mel (ou açúcar mascavo)

Como fazer
Num recipiente, coloque a água, o mel (ou açúcar mascavo) e macere o manjericão. Tome banho do pescoço para baixo. Atenção: não enxágue!

Cor

Qual é a cor do amor? A cor salmão (aquele rosinha-claro). Então use e abuse desse tom nas peças de roupa, nos calçados e nos acessórios, na toalha, no lençol etc.

Vela branca

Ingredientes
– 1 vela branca
– fósforos
– 1 maçã com pedúnculo, ou cabinho
– mel
– água

Como fazer
Às sextas-feiras, às 9h, 12h ou 18h, acenda uma vela branca em oferecimento à deusa do amor, Vênus (atenção: sempre com um fósforo, pois nele há o elemento madeira). Num prato, ponha a vela, coloque também uma maçã (ela precisa estar com o pedúnculo, ou cabinho). Regue a fruta com mel e vá pedindo para a deusa te trazer o amor que você tanto deseja.

Quando a vela terminar, pegue a maçã, rale-a com casca e tudo, adicione água e use para tomar banho do pescoço para baixo. Nesse caso, não precisa ser na sexta, mas no dia em que a vela acabar.

Para os que querem se casar

Você sabe o que é arquétipo? É um modelo que vai te conduzir aonde deseja chegar. A ideia que te leva à concretização. Então, pegue um quadro que tenha a imagem de um casal de noivos lindos, maravilhosos e felizes. Coloque-o bem de frente para sua cama ou em um lugar que você vá olhar assim que acordar. É uma técnica muito boa, pois mexe diretamente com o nosso inconsciente e com aquilo que atraímos.

Ajuda, Santo Antônio!

Santo Antônio nasceu em Lisboa, em 1195, foi batizado como Fernando de Bulhões Taveira de Azevedo. Era de família nobre, cresceu cercado de todos os cuidados.

Com o tempo, foi sentindo que algo lhe incomodava, percebeu que era a vida de riqueza que não lhe agradava e sentiu o chamado de Deus. Aos quinze anos, entrou para a Ordem dos Cônegos Regulares. Em 1220, deixou a Ordem dos Agostinianos para seguir os passos de outro jovem que se chamava Francisco, que era da cidade de Assis, na Itália.

Foi nesse ano que ocorreu sua ordenação sacerdotal, quando entrou na Ordem dos Frades Menores e recebeu o hábito franciscano, no Convento de Olivas, em Coimbra,

com o nome de Frei Antônio. Iniciou uma missão para o Marrocos, mas após um ano de catequese nesse país, teve de deixá-lo devido a uma enfermidade e seguiu para a Itália.

Sempre teve uma saúde delicada, contudo andava pelo mundo com sua pregação, reunindo multidões. Morreu aos 36 anos e se tornou um dos santos mais populares do mundo.

Mas de onde veio, afinal, a história de que ele é um santo casamenteiro? Antigamente, era necessário oferecer um dote (quantidade em dinheiro) para se casar. Conta-se que, em Nápoles, uma moça não tinha esse dinheiro e, por isso, não poderia se casar. Ela se ajoelhou aos pés de uma imagem do santo e pediu sua intercessão.

Por milagre, a imagem de Antônio apareceu e lhe entregou um bilhete que dizia para que ela procurasse um comerciante local. Ele daria a ela a quantidade de moedas que equivalesse ao peso daquele papel. Ela encontrou o comerciante e deu a ele o bilhete. Como o comerciante achou que o peso do papel era quase nada, decidiu fazer o que a moça propunha e colocou o bilhete na balança. E foram necessários quatrocentos escudos de prata para que a balança atingisse o equilíbrio. Era exatamente o que a moça precisava, e o mesmo valor que o comerciante havia prometido ao santo ao ter alcançado uma graça e nunca tinha pagado. Ele entregou o dinheiro à moça, que pôde se casar.

Se você está procurando um amor, aproveite este dia e siga as simpatias a seguir:

1 – Fita com nome

Pegue uma fita branca e escreva com uma caneta seu nome em uma das pontas. Faça um nó por dia na fita, durante

21 dias, antes de se deitar, dizendo: "Essa fita tem um nó que vai amarrar todos os obstáculos que impedem a minha felicidade no amor", até chegar aos 21 nós. No último dia, amarre a fita no seu pulso esquerdo e durma com ela. No dia seguinte, deixe-a em um lindo jardim fora de sua casa.

2 – Noiva
Vá a um casamento e leve uma imagem de Santo Antônio. Depois, peça à noiva para passar três vezes a imagem do santo em sua grinalda. Leve a imagem para casa e peça ao santo um amor verdadeiro.

3 – Rosas
Exatamente no dia de Santo Antônio (13 de junho), coloque em um vaso sete rosas vermelhas em frente à imagem do santo do amor. Faça uma reza pedindo por um novo romance e, assim que as pétalas secarem, leve-as para uma igreja onde são realizados muitos casamentos e solte-as na calçada da entrada do local.

4 – Cravo e rosa
Pegue uma rosa e um cravo e amarre, com uma fita verde, seus talos juntos. Lembre-se de dar treze nós nessa fita, sempre pensando em Santo Antônio. Peça para que ele traga um amor verdadeiro para sua vida. Deixe a rosa e o cravo amarrados em um lindo jardim fora de sua casa.

5 – Plante um cravo
Compre um vaso bonito e plante nele um pé de cravo branco. Cuide dele com delicadeza até que floresça. Todas as vezes que for mexer na planta, pense em Santo Antônio e peça a sua bênção. Assim que as flores começarem a aparecer,

pegue a mais bonita de todas e ofereça ao santo, pedindo que traga seu amor verdadeiro. Saiba que, assim que florescer, é sinal de que seu amor está próximo.

6 – Simpatia do perfume
Coloque dentro de seu perfume favorito uma pétala de rosa vermelha no dia 13 de junho e o deixe junto à imagem de Santo Antônio. Quando for sair, passe o perfume para atrair a pessoa certa para seu caminho.

7 – Fita branca
Corte três palmos de uma fita branca e amarre na imagem de Santo Antônio. Coloque o santo no seu quarto e reze para que você se case logo. Você também pode pedir para que sua mãe ou uma(um) amiga(o) de confiança faça a simpatia escondido, isso irá reforçar o pedido. Quando conhecer o pretendente, deixe a fita junto à imagem do santo em uma igreja.

São Valentim e o amor

Enquanto no Brasil o Dia dos Namorados é comemorado em 12 de junho, véspera de Santo Antônio, conhecido como "Santo casamenteiro", em outros países como Argentina, Espanha, Portugal, França e Estados Unidos se comemora o Dia de São Valentim em 14 de fevereiro. Essa data é também conhecida como o *Valentine's Day*. É uma comemoração especial para celebrar a união amorosa entre casais e namorados.

Mas por que tal data foi escolhida? Segundo pesquisas, a história nos mostra pelo menos três mártires com o nome de Valentim. Um deles nasceu em 175, próximo a Roma e foi consagrado como bispo. Valentim lutou contra as ordens do imperador Cláudio II. Esse imperador havia proibido o casamento durante as guerras, pois ele considerava os solteiros como "melhores combatentes".

Mesmo com a proibição, Valentim continuou celebrando os casamentos. Todavia, mais tarde, ele foi descoberto, preso, e infelizmente condenado à morte. Mas mesmo preso, na época, os jovens ofereciam flores, bilhetes a Valentim expressando que eles ainda acreditavam, sim, na magia do amor verdadeiro.

Enquanto aguardava na prisão o tempo de sua sentença, Valentim se apaixonou pela filha cega de um carcereiro, e lhe devolveu a visão.

O Dia de São Valentim foi decretado pela Igreja católica durante o século V com o objetivo de estimular os casais apaixonados a se casarem, sendo considerado uma formalidade legítima para a constituição de uma família.

A princípio, a ideia era a substituição do tradicional festival romano Lupercália (veneração da deusa da fertilidade, que marcava também o início da Primavera) pelo Dia de São Valentim. Dessa forma, lentamente, os povos da Europa começaram a substituir a celebração profana pelo Dia dos Namorados.

No entanto, no fim do século XVIII, a Igreja desconsiderou o Dia de São Valentim, data que foi retirada do calendário religioso oficial em razão de não haver provas históricas concretas da existência do santo. Mesmo assim, essa data continuou a ser celebrada popularmente. Os restos mortais de São Valentim encontram-se na igreja de Santo Antão, em Madri.

São Valentim pode dar aquela força para trazer um amor verdadeiro para sua vida.

Ritual especial de São Valentim para o amor

Ingredientes

– 1 colher de sopa de açúcar
– 2 litros de água
– pétalas de duas rosas cor-de-rosa
– 1 cálice de mel

Como fazer

Primeiramente, junte o açúcar com a água no recipiente. Em seguida, ore uma Ave-Maria para Vênus e São Valentim. Aos poucos, macere as pétalas das rosas sobre a água, dizendo com bastante fé:

"São Valentim, traga-me um amor verdadeiro para minha vida, um(a) namorado(a). Vênus, querida, fique junto de São Valentim, traga-me um amor."

Na sequência, acrescente o cálice de mel, misture tudo muito bem e continue macerando as rosas.

Depois, coe e jogue o que sobrou das rosas na natureza. Após seu banho higiênico, banhe-se do pescoço para baixo com esse preparo evocando São Valentim e Vênus para trazerem seu amor verdadeiro. Fique com o banho durante cinco minutos em seu corpo, após esse tempo, enxágue-se e enxugue-se.

PÍLULAS DE SABEDORIA DA MÁRCIA

Relacionamento amoroso é quando as pessoas apaixonadas se olham e correm na mesma direção, ou seja, é a decisão de partilhar esta jornada, com coisas boas e coisas ruins, com os defeitos e as qualidades de cada um.

Jamais faça trabalhos de amarração! Há consequências espirituais, já que é um ato que a pessoa faz tentando prejudicar a vida de alguém.

Se encontrou alguém legal para um relacionamento, viva-o inteiramente e se entregue. Mas não se esqueça de se cuidar e de pensar em você, como indivíduo. O "para sempre" nem sempre é "para sempre" mesmo.

Respeite seu/sua ex, pai/mãe de seus filhos. Você pode ter cinquenta relacionamentos, mas a pessoa com a qual você teve filhos é uma amizade de outras vidas. Foi escolhida antes de você nascer.

9. SE PERDOE — VAI FICAR REMOENDO O PASSADO PRA QUÊ?

Não fique se atormentando com uma situação passada que você se arrependeu de ter feito ou participado. O passado passou, não se pode voltar no tempo. Todos os dias, todos nós erramos. Mas também todos os dias, graças a esses erros, podemos aprender e evoluir, basta querer. Não fique se julgando, entrando num ciclo sem fim de culpa, angústia e dor.

Não adianta se lamentar, porque nós nos colocamos onde estamos, Deus não erra. Levante a cabeça, se erga. Se fez cagada, "descague"! Você não é uma supermulher ou um super-homem.

Estamos aqui na Terra para sermos felizes e nos preparar para partir, para a continuidade da vida — afinal, ela é eterna, continua. Então, o que você vai levar daqui? Nada físico, apenas o aprendizado obtido com experiências boas e ruins, ou o aprendizado conquistado acertando, mas também errando. Valorize a oportunidade da vida, de estar viva(o), aprenda com seus erros e se perdoe.

ORAÇÕES/ MAGIAS

Oração da paz, de São Francisco de Assis

Senhor! Fazei de mim um instrumento da vossa paz.
Onde houver ódio, que eu leve o amor.

Onde houver ofensa, que eu leve o perdão.
Onde houver discórdia, que eu leve a união.
Onde houver dúvidas, que eu leve a fé.
Onde houver erro, que eu leve a verdade.
Onde houver desespero, que eu leve a esperança.
Onde houver tristeza, que eu leve a alegria.
Onde houver trevas, que eu leve a luz.
Ó Mestre, fazei que eu procure mais:
consolar, que ser consolado;
compreender, que ser compreendido;
amar, que ser amado.
Pois é dando que se recebe.
É perdoando que se é perdoado.
E é morrendo que se vive para a vida eterna.

Faça também a oração de agradecimento a Deus, na página 129.

PÍLULAS DE SABEDORIA DA MÁRCIA 

Estamos aqui na Terra para sermos felizes e nos preparar para partir, para a continuidade da vida — afinal, ela é eterna, continua.

Se fez cagada, "descague". Pense no erro como uma lição a ser aprendida. Aprenda a valorizar a oportunidade da vida, aprenda com seus erros e se perdoe.

O presente tem que ser tão pleno que nos faça esquecer o passado!

O passado já passou. O futuro ainda não existe. Portanto: viva, brinque, seja feliz hoje.

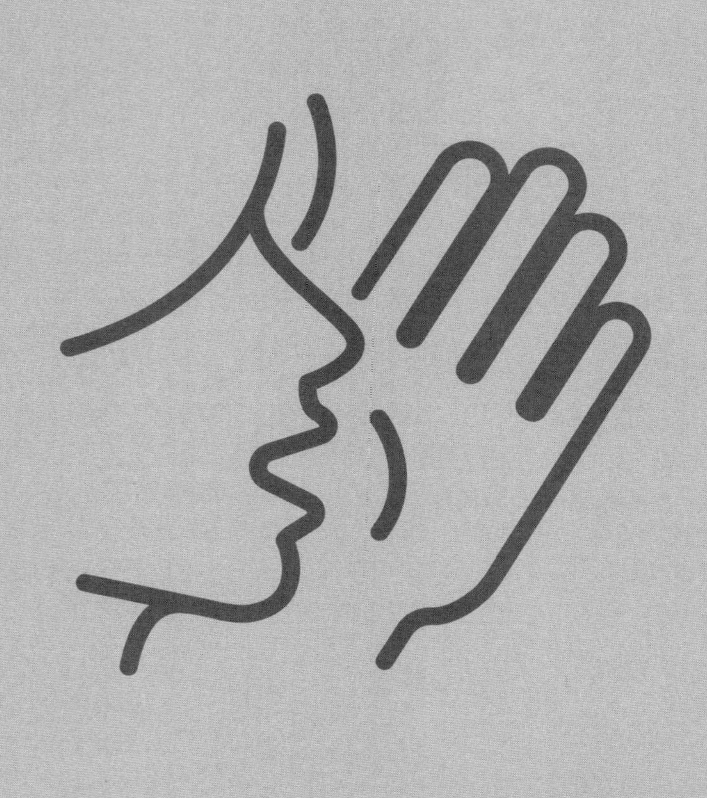

10. CONTRA FALSIDADE E INVEJA — ÁREA!

Você já deve ter reparado que a pessoa falsa não fala, insinua coisas. Não conversa, gera briga — afinal, ela quer confronto. Não elogia, adula. Não deseja suas coisas, cobiça — Deus que me perdoe! Não participa, se infiltra — e que coisa desagradável a pessoa que se convida para os eventos, não?

A pessoa falsa também não sorri, mostra os dentes. Não caminha, rasteja pela vida, sabotando a felicidade alheia. Deus que nos livre de conviver com gente falsa. E, claro, você não é santa(o). Analise as suas ações e, se é você que tem agido dessa forma, mude já, sua/seu falsinha(o)!

Infelizmente, em muitas situações da vida teremos contato com pessoas assim, invejosas, e nem sempre conseguiremos evitar isso. Afinal, vivemos em sociedade e podemos estar no mesmo círculo social dessas pessoas. Mesmo que seja aquele alguém que te magoou muito, quem você até já perdoou, mas não quer encontrar nunca mais… Tente não ficar brava(o), fique indiferente, não gaste energia dando atenção a quem não merece. Com certeza não é fácil, mas não é impossível. Ficar carregando raiva e mágoa dentro de si é pesado e cansativo.

A mesma indiferença vale para aquela pessoa que te ofende ou faz fofoca a seu respeito. Por exemplo, imagine que alguém diga por aí que você é burra(o). Você sabe que não é burra(o), então, deixa pra lá. O que você precisa entender é que todo mundo pode pensar ou falar o que quiser de nós, mas cada um sabe dentro de si o que realmente é — além do fato de que Deus vê tudo! Óbvio que existem casos específicos, em que uma pessoa levanta falso testemunho de outra. Aí não pode! A vítima tem todo o direito de tirar satisfação. Dependendo da gravidade do que foi dito, aquele que afirmou algo precisa provar que está correto. Não pode virar bagunça!

Sabe o que essa pessoa falsa que fala tão mal de você pelos cantos tem? Uma inveja tremenda da sua vida, do que você é e do que conquistou. Perceba que um mosquito só se aproxima da luz quando ela está acesa, brilhando. Já reparou nisso? Mas quando a luz, seja de um lustre, seja da lâmpada, está apagada, não atrai mosquitos. Ou seja, querida(o), se você está brilhando muito, irradiando energia boa, com certeza vai ter muito mosquito ao seu redor, falando mal de você, levantando falso testemunho. Às vezes você pode dizer "não brilho com essa força toda, não". Imagina, brilha, sim! E essa luz vai atrair olhares invejosos.

Ok, você pode mandar essa gente à merda? Pode. Mas, além disso, precisa tomar cuidado com algumas atitudes do dia a dia. Vou explicar: por exemplo, quando plantamos uma semente, ela cresce silenciosamente, isto é, seu progresso ocorre na surdina. Por sua vez, uma árvore, ao ser derrubada, causa ruído, faz barulho. Assim, tudo o que você for construir, faça em silêncio. Esse é o grande segredo da vida.

Não tem que ficar falando ou postando tudo o que acontece na sua vida nas redes sociais, por exemplo. Pra que postar tudo, meu chapa? Faça calado, bem à moda mineira. Há muitas pessoas invejosas à sua volta. É triste que seja assim, mas é a realidade. E mesmo dentro da sua família, a inveja pode vir de um irmão, de um primo. De repente, você aparece com um carro novo, uma casa legal. A pessoa te parabeniza, acha

bacana, mas por dentro se pergunta: "Ué, mas cadê o meu carro novo, a minha casa legal? Não queria que ele tivesse e eu não!". No fundo, todos nós somos invejosos, simples assim. No entanto, alguns, digamos, têm uma inveja um pouco "melhorzinha". Pensam: "Que legal essa conquista de fulano, daqui a pouco consigo o meu carro/ a minha casa bacana também".

No fim das contas, claro que é melhor brilhar do que ficar na escuridão. Então, fique atenta(o) e não deixe de viver. Deixa a sua luz irradiar bastante e não se preocupe com o que falam.

ORAÇÕES/ MAGIAS

Banho de chá de alecrim

Contra energias ruins e o famoso olho gordo.

Ingredientes
– 2 litros de água
– 1 punhado de alecrim
– 1 punhado de aroeira

Como fazer
Prepare o chá, deixe que ele fique morno. Coe e jogue do pescoço para baixo.

Magia da pimenta-do-reino

A pimenta-do-reino é regida por Marte e pelo fogo, podendo ser usada em magias para te proteger. A pimenta-do-reino branca é capaz de remover qualquer carga negativa que tenha sido enviada para você. Já a pimenta-do-reino preta é capaz de criar um escudo energético para afastar novas cargas negativas.

Acabe com fofocas:
Leve consigo grãos de pimenta-do-reino preta e branca. Embrulhe-os em um saquinho de sua preferência. E, quando for a um lugar carregado de negatividade, deixe isso (o saquinho) no local para afastar de vez a inveja e a fofoca contra você. É um escudo protetor contra inveja, fofoca, afasta pessoas negativas. Se preferir, tire os grãos de pimenta-do-reino do saquinho e jogue-os no ambiente. É tiro e queda!

Afaste alguém negativo:
Caso você tenha recebido em casa a visita indesejada de alguém (com carga negativa), misture em um pilão um pouco de pimenta-do-reino preta com sal (branco). Assim que a pessoa sair de sua casa, assopre o pó no ambiente para impedir que ela fale mal de você ou comente coisas de dentro da sua casa.

A pimenta-do-reino preta nos ajuda a banir "olho gordo".

Plantas

Ter em casa comigo-ninguém-pode é muito importante para afastar a inveja e o mau-olhado.

Salmo 7

Reze diariamente esse salmo, com muita fé:

Senhor meu Deus, em Ti confio; salva-me de todos os que me perseguem, e livra-me; Para que ele não arrebate a minha alma, como leão, despedaçando-a, sem que haja quem a livre. Senhor meu Deus, se eu fiz isto, se há perversidade nas minhas mãos, Se paguei com o mal àquele que tinha paz comigo (antes, livrei ao que me oprimia sem causa), persiga o inimigo a minha alma e alcance-a; calque aos pés a minha vida sobre a terra, e reduza a pó a minha glória. Levanta-Te, Senhor, na Tua ira; exalta-Te por causa do furor dos meus opressores; e desperta por mim para o juízo que ordenaste. Assim Te rodeará o ajuntamento de povos; por causa deles, pois volta-Te para as alturas. O Senhor julgará os povos; julga-me, Senhor, conforme a minha justiça, e conforme a integridade que há em mim. Tenha já fim a malícia dos ímpios; mas estabeleça-se o justo; pois Tu, ó justo Deus, provas os corações e os rins. O meu escudo é de Deus, que salva os retos de coração. Deus é juiz justo, um Deus que se ira todos os dias. Se o homem não se converter, Deus afiará a sua espada; já tem armado o Seu arco, e está aparelhado. E já para ele preparou armas mortais; e porá em ação as suas setas inflamadas contra os perseguidores. Eis que ele está com dores de perversidade; concebeu trabalhos, e produziu mentiras. Cavou um poço e o fez fundo, e caiu na cova que fez. A sua obra cairá sobre a sua cabeça; e a sua violência descerá sobre a sua própria cabeça. Eu louvarei ao Senhor segundo a Sua justiça, e cantarei louvores ao nome do Senhor Altíssimo.

Para proteger noivos da inveja antes do casamento

"Alegria alheia incomoda." Sim, essa é uma pura verdade. Tem gente que não tem capacidade de construir algo e prefere que o outro não tenha também. Por isso a máxima da frase. Pensando nisso, sempre temos que tomar cuidado ao falar de nossas alegrias e de nossas vitórias. Isso pode se virar contra nós.

Pense em um casamento. Tem de tudo entre os convidados. Desde a pessoa que mais quer bem você até aquela outra pessoa que está MORRENDO de inveja. Então, aproveite para fazer uma boa limpeza espiritual antes das cerimônias.

Limpeza espiritual dos noivos (antes da cerimônia no civil)

Ingredientes
– Um punhado de alecrim (aprox. 50 gramas)
– Um punhado de guiné (aprox. 50 gramas)
– Um punhado de poejo (aprox. 50 gramas)
– 2 litros de água

Como fazer
Um dia antes da cerimônia no civil, prepare um maravilhoso chá com essas ervas. Deixe amornar, coe e se banhe do pescoço para baixo após o banho higiênico. Durma com o banho.

Dicas: o alecrim é a "erva da alegria", eleva a autoestima, o padrão vibratório, promove proteção espiritual, atrai prosperidade e nos protege contra o mal. A guiné corta negatividade, afasta os males e promove equilíbrio emocional. Já o poejo também promove proteção espiritual e acalma os ânimos.

Limpeza espiritual dos noivos (antes da cerimônia no religioso)

Na véspera da data da cerimônia, os noivos deverão preparar um maravilhoso Banho de Jesus Cristo:

Ingredientes
– 2 litros de água
– 10 folhas de boldo

Como fazer
Faça um chá de boldo, macerando bem com as mãos as ervas na água. Deixe amornar, coe e banhe-se da cabeça aos pés após o banho higiênico. Durma com o banho.

O boldo é a erva de Jesus Cristo; descarrego universal, de purificação da aura.

PÍLULAS DE SABEDORIA DA MÁRCIA

Inveja é pior do que macumba!

Todo mundo pode pensar ou falar o que quiser de nós, mas cada um sabe dentro de si o que realmente é — além do fato de que Deus vê tudo!

Quando plantamos uma semente, ela cresce silenciosamente, isto é, seu progresso cresce sem fazer barulho. Assim, tudo o que você for construir, faça em silêncio. Esse é o grande segredo da vida.

Inveja pode ser pior do que trabalho feito contra você! Se proteja!

A pessoa falsa não sorri, mostra os dentes. Não caminha, rasteja pela vida, sabotando a felicidade alheia. Deus que nos livre de conviver com gente falsa.

Claro, você não é santa(o). Todos nós somos invejosos. Mas temos que evoluir, melhorar. Analise as suas ações e, se é você que tem agido de uma forma ruim, mude já, sua/seu falsinha(o)!

O invejoso sofre, pois se acha menor que os outros.

Amar o próximo só se ele não estiver melhor do que eu... é assim que é a humanidade! Não adianta fingir. Todos temos inveja e temos que cuidar desse nosso lado.

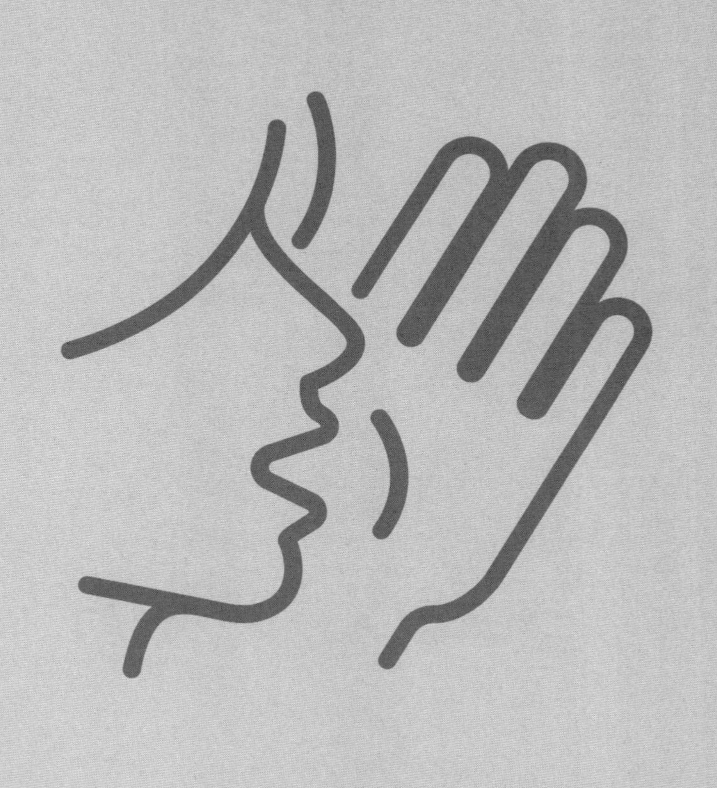

11. LIDANDO COM O LUTO — SUPERE OU SUA VIDA VAI FICAR PARADA

O luto não é um assunto fácil, mas falar sobre ele é necessário. No momento em que escrevo este livro, o número de vidas ceifadas em decorrência da pandemia de covid-19, só no Brasil, está em quase 670 mil. Não é apenas estatística ou somente números. Cada uma dessas pessoas que partiu era um pai, uma mãe, um(a) filho(a), um(a) irmão/irmã, um(a) amigo(a)... O mundo sofreu com tantas perdas, e mais do que nunca precisamos aprender a lidar com elas.

A primeira dor da vida é a dor de perder alguém, é o sofrimento causado pela morte de alguém que amávamos muito. A segunda é a dor da separação também daquele que amamos. Então, podemos dizer que existem vários tipos de luto, e vou dar exemplo de dois deles. Aquele em que a pessoa parte deste plano para outro, e o luto de um filho que sai de casa e vai morar no exterior, por exemplo. A mãe entra em uma tristeza profunda, sente aquela ausência também, ou seja, fica de luto.

Todos sabemos que é horrível sentir a perda de alguém. Tem gente até que antecipa essa sensação, como as pessoas que sofrem de ansiedade, que acabam vivendo o luto sem que ele tenha acontecido de fato, ficando angustiadas com hipóteses que não necessariamente vão se tornar reais. Afinal, o medo da morte já é uma forma de vivenciar o luto porque pensamos que a pessoa que amamos um dia vai embora, e não queremos que esse dia chegue nunca.

Mas, como somos pessoas espiritualistas, sabemos e precisamos compreender que o nosso corpo orgânico veio da terra e para a terra voltará — viu, você que perde tempo fazendo um monte de cirurgia plástica e tratamento estético pensando no lado de fora, no exterior, não se esqueça de cuidar do lado de dentro, querida(o), que é o principal. Fica a dica! Vai adubar a terra, se unir a outras partículas orgânicas e renascer. Nada acaba. No entanto o nosso perispírito, que, digamos, é o nosso corpo etéreo, continua lindo, maravilhoso e cheiroso como éramos aqui na Terra.

E uma coisa importante: se uma pessoa que partiu não aceita muito bem isso, passa as primeiras 24 horas numa espécie de dormência, recebendo boas energias de espíritos de luz. A maioria se desespera, acha que continua aqui na Terra e quer permanecer neste plano com a sua família. Quando isso acontece, chamamos essa pessoa de obsessor ou encosto, e essa é uma situação muito triste. Então, como podemos ajudar o nosso ente querido desencarnado? Sem nos desesperarmos.

Claro que quando vivenciamos o luto a gente deve chorar se tiver vontade, isso faz parte dessa experiência, o chorar, o desabafar. É até bom que a gente externalize nossa tristeza, angústia e dor. Mas se você ficar inconformada(o) a ponto de começar a gritar pela pessoa, dizendo coisas como "Fulano(a), meu amor, volta!", a pessoa desencarnada vai ouvir e ficar num estado de perturbação. Ela vai ver seu desespero e, para te ajudar, o que vai fazer? Vai querer continuar por aqui, ao seu lado.

Então, ainda que seja doloroso, é importante seguir a vida. Sei que essa dor é como uma dor física mesmo, sentimos no mais profundo do nosso coração. Mas tente voltar às suas atividades habituais aos poucos, retomar o convívio social, e até fazer alguma coisa nova, como caminhar, se matricular

numa academia ou num curso. Em alguns casos leva até dois anos para a dor do luto amenizar, e é importante que a gente se esforce para superá-la dia após dia. Não fique reclusa(o), com a casa fechada.

Não há como fugir desse sofrimento, claro, mas liberte a pessoa que partiu, para ela também deve ser doloroso ficar longe de você. Por exemplo, diga: "Fulano(a) querido(a), eu sei que você partiu e agora precisa continuar seu caminho daí. Eu vou ser forte e seguirei aqui".

Se apegue às lembranças boas, seja extremamente grata(o) por tudo o que viveu de maravilhoso na companhia da pessoa. E atenção: você não pode guardar colchão, sapato nem nada que tenha a digital do ente que partiu. Isso também evita que a pessoa fique presa neste plano. Doe esses objetos para alguém que não tinha contato ou não conhecia ele e a família.

Não sabemos quando nós ou quem amamos partirá. Por isso, precisamos aproveitar ao máximo a companhia de todos que amamos enquanto estamos na Terra. De que adianta todo dia a gente correr, correr e correr com trabalho, com estudo etc. e se esquecer de ligar, de dar um beijo, um abraço em quem amamos? Pelo amor de Deus, não vá dormir sem fazer algum agrado, algum carinho na sua família, com quem temos laços eternos.

Não existe nada, nenhuma mágica, que possa tirar de repente toda a dor do luto. Apenas o tempo pode curá-la. Essa dor vai durar, no mínimo, dois anos — depois vai aquietando e vem a saudade. Mas lembre-se de que toda pessoa que é espiritualista acredita na vida após a morte. Essa crença está presente em várias religiões, no hinduísmo, no budismo, no cristianismo... A vida continua, sim, e a pessoa que partiu vai te fazer muita falta, sim. Mas pense nela sem desespero, considere uma despedida temporária: "Fulano(a), segura aí que daqui a pouco eu tô chegando!". A vida é eterna, estamos aqui só de passagem.

ORAÇÕES/ MAGIAS

Santa Teresinha, alivia!

É muito comum as pessoas recorrerem a Santa Teresinha do Menino Jesus nos momentos de aflição para que ela acalme o coração angustiado.

Chamada de Santa das Rosas, Teresinha manifestou sua vocação religiosa desde criança. Aos quinze anos, quis ingressar no convento, mas, por ser nova, não foi aceita. Aos dezessete, perdeu o pai e novamente ingressou no convento; aí, sim, foi aceita.

Seu amor por Maria e pelo Menino Jesus era a imensidão de sua vocação. Vítima de tuberculose, Teresinha faleceu aos 24 anos.

Em 1925, o padre Putigan, um devoto da Santa, pediu a ela uma confirmação que apareceria por intermédio de uma rosa; pediu também que seus pedidos fossem atendidos. Sem dizer nada a ninguém, começou uma novena; no terceiro dia, recebeu uma rosa e suas súplicas foram atendidas.

Como a aparição se repetiu em outra novena, o padre decidiu divulgar o nome da santa. Depois dele, várias outras pessoas alcançaram a graça por intermédio de Santa Teresinha das Rosas.

Santa Teresinha é capaz de ajudar a todos! No entanto, é fundamental que não falte a fé suficiente para pedir e agradecer a tudo que alcançou.

Eu sou muito devota a Santa Teresinha e compartilho com vocês a maravilhosa novena dela. Pode-se iniciá-la em qualquer dia, mas o costume é, preferencialmente, entre os dias 9 e 17 do mês (durante nove dias) em virtude de outros fiéis estarem fazendo a mesma novena em diversas partes do mundo.

A novena consiste na oração diária a Santa Teresinha. Em seguida, faça 24 Glórias ao Pai em ação de graças a Santíssima Trindade pelos 24 anos de vida da gloriosa Santa Teresinha, sempre finalizando com sua Jaculatória.

Ore com muita fé e peça que ela acalme sua alma, ajude em seu processo de luto e no que mais você necessitar.

Oração a Santa Teresinha

Santíssima Trindade, Pai, Filho, Espírito Santo, eu Vos agradeço todos os favores e graças com que enriquecestes a alma de vossa Serva Santa Teresinha do Menino Jesus, durante os 24 anos que passou na Terra, e pelos méritos da tão querida Santa, concedei-me a graça que, ardentemente, vos peço (faça seus pedidos com muita fé), se for conforme a Vossa Santíssima vontade e para a salvação de minha alma. Amém.

Reze por 24 vezes: Glória ao Pai, ao Filho e ao Espírito Santo, assim como era no princípio, agora e sempre e por todos os séculos dos séculos. Amém.

Santa Teresinha do Menino Jesus, rogai por nós.

PÍLULAS DE SABEDORIA DA MÁRCIA 

Não sabemos quando nós ou quem amamos partirá. Por isso, precisamos aproveitar ao máximo a companhia de todos que amamos enquanto estamos na Terra.

A vida é eterna, estamos aqui só de passagem.

Já vou avisando que não quero receber flor só na morte, pessoal! Me mandem agora, em vida, por favor!

Ame. Ame muito seus próximos enquanto estiverem vivos.

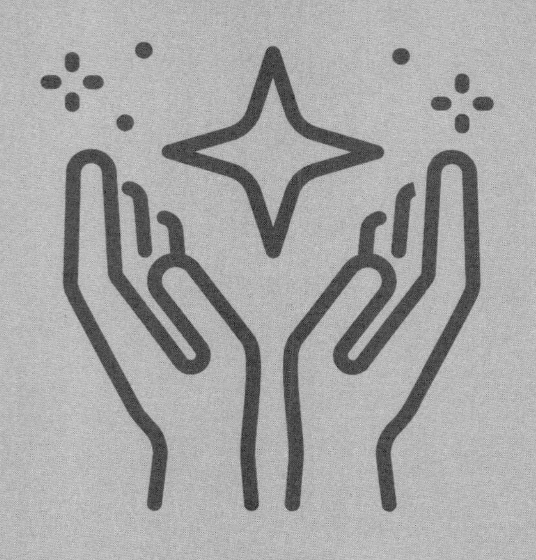

12. VOCÊ É LUZ — MAS PODE ESTAR APAGADA

Como conversamos na página 63, estamos no planeta Terra, um planeta de coisas maravilhosas, mas também de provas. Ao longo da nossa jornada, passaremos por muitas atribulações, e graças a elas vamos conquistar aprendizados e evoluir. Então, não adianta viver reclamando, concorda? Nesses momentos, precisamos encarar o desafio e ficar firmes. E Jesus é um grande exemplo para nós.

Lembre que Jesus foi traído e entregue por Judas para ser morto, mas Ele não teve a reação de brigar ou ficou descontrolado. Geralmente, quando somos traídos num relacionamento — seja ele qual for, amoroso, entre amigos, profissional —, nossa reação é discutir, partir pra cima da pessoa que nos traiu, mas Jesus não. Apenas questionou: "Para que vieste?".

Aí você vai dizer: "Márcia, mas é Jesus!". Sim, Jesus é perfeito, é um ser de luz, mas teve sua experiência humana e agiu assim. Em vez de ter reclamado ou feito algo para impedir que fosse agredido e morto — afinal, Ele poderia —, Ele, tão grande, se fez pequeno na Terra para poder nos dar diversos ensinamentos.

Falando mais sobre Jesus, sabemos que Ele é filho de Deus — assim como nós. Dentro da nossa galáxia, existem vários planetas. E cada planeta tem um avatar, ou melhor, um "comandante". Jesus foi incumbido de ser o comandante do planeta Terra. Ele veio para cá há mais de 2 mil anos para nos ensinar, principalmente, sobre três coisas: amor, caridade e humildade. Percebeu que para que acreditassem Nele por aqui, tinha que fazer milagres, e os fez — e mesmo assim mataram o homem...

Todos os seres humanos têm uma aura, uma espécie de "bolha" de luz em volta do corpo. Ela pode ser pequena ou expandida e ter várias cores. Por exemplo, a de cor laranja indica que a pessoa está feliz; cinza, doente; escuríssima, em depressão. E quanto mais feliz, mais muda de cor, e mais a aura cresce. Só para você ter uma ideia da grandiosidade de Jesus, sua aura tinha três QUILÔMETROS de luz! E em qualquer lugar que Ele chegava, quem estava perto sentia uma grande satisfação, a energia boa do plano superior. Diz a lenda que Ele tinha dores físicas insuportáveis porque seu corpo era muito pequeno para carregar tão grande aura.

Então, se também somos filhos de Deus, também somos seres de luz. Mas sabemos que uma luz pode se apagar... Se está atravessando um período muito difícil, teve alguma doença, sofreu uma grande traição, não pode simplesmente desistir, se apagar. Você pode não estar alegre neste momento. Mas não se apague. Coloque agora uma mão no meio do peito, que é onde fica o chacra do amor, e a outra mão sobre a face, na consciência, e diga forte: "Eu me amo, sou filha(o) de Deus, e toda essa atribulação vai passar!". Repita quantas vezes for necessário.

Deus é amor. E o que mais? Cada pessoa o vê de uma forma, dentro das suas crenças, mas Ele é uno. Ele é o criador de tudo: da plantinha às galáxias — e não criou tudo à toa. E se Ele é amor e somos seus filhos, nós também somos amor. Quando parimos uma criatura, seguramos aquele serzinho nos braços, sabemos que Deus está ali. Quando cuidamos dos nossos pais ou estamos ao lado de quem amamos, o

amor transborda, é Deus ali também. Não se esqueça nunca disso, que todos temos Deus dentro de nós. E que Ele sabe tudo que se passa no nosso interior, nossas alegrias, nossos medos e anseios. Então deixe que falem, Deus está vendo.

Nós, humanos, somos uma comunidade. Temos que aprender a estar sempre acordados, despertos. Isso não quer dizer ser mais esperto do que o outro e passar a perna nele. Trata-se de estarmos atentos aos sinais do universo, compreendermos nossa pequenez diante dele. Buscar compreender nossos pontos fortes, nossas qualidades, e o que precisamos melhorar, nossos defeitos, e ir nos lapidando. Assim, vamos melhorando cada vez mais.

Em vez de reclamar sem parar, se questionar do porquê disso e daquilo, faça como Jesus e pergunte para o seu problema, para o seu inimigo, "para que vieste?". Aos poucos, refletindo, orando e meditando você vai compreender que aquela experiência serviu para que você aprendesse algo e/ou ficasse mais forte, mais madura(o).

E não se esqueça também do amor ao próximo, de não julgar as pessoas, de doar aos mais necessitados. Se você dividir o pouco que tem, tenha certeza, ganhará em dobro. E não só as coisas materiais, partilhe um abraço, uma palavra de esperança. Afinal, cada um carrega dentro de si atribulações e angústias.

No dia em que a Terra se render ao amor, deixaremos de ser um planeta de expiação e de provas para ser um planeta de regeneração. Enquanto isso, ore pela chuva, mas saiba que tem que lidar com o barro que ela forma quando começa a cair, porque faz parte do processo. Ou seja, coloque a galocha e vá em frente, minha velha!

ORAÇÕES/ MAGIAS

Banho de Jesus Cristo

Faça às sextas-feiras.

Reveja na página 99.

PÍLULAS DE SABEDORIA DA MÁRCIA

Ao longo da nossa jornada, passaremos por muitas atribulações e, graças a elas, vamos conquistar aprendizados e evoluir.

Coloque agora uma mão no meio do peito, que é onde fica o chacra do amor, e a outra sobre a face, na consciência, e diga forte: "Eu me amo, sou filha(o) de Deus e toda essa atribulação vai passar!".

Temos Deus dentro de nós. E Ele sabe tudo que se passa no nosso interior, nossas alegrias, nossos medos e nossos anseios. Então deixe que falem, Deus está vendo.

Qual a principal virtude? A fé! Confie em Deus quando sua vida estiver em escuridão.

No dia em que a Terra se render ao amor, deixaremos de ser um planeta de expiação e de provas para ser um planeta de regeneração.

Ore pela chuva, mas saiba que tem que lidar com o barro que ela forma quando começa a cair, porque faz parte do processo. Ou seja, coloque a galocha e vá em frente, minha velha!

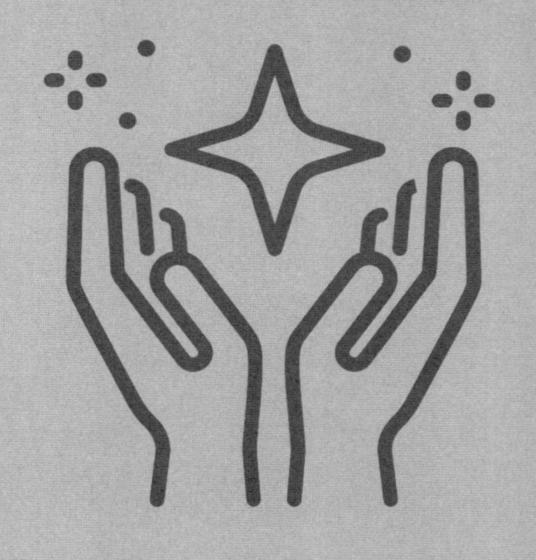

13. CONTRA A INSÔNIA — XÔ, NOITES MALDORMIDAS!

Muitas mães chegam até mim angustiadas, reclamando que o filho não consegue dormir sozinho no quarto. É o típico terror noturno, aquele famoso medo do bicho-papão... Antes de mais nada, precisamos entender que uma criança na idade de zero a sete anos sente absolutamente tudo o que a mãe sente. Ou seja, felicidade, tristeza, angústia, ansiedade etc. Durante esse período, a aura da criança ainda está colada à aura da mãe. Então, é importante que você, mãe, fique atenta também às suas emoções.

Outra questão é que é muito normal que a criança pequena pegue muito olho gordo. Às vezes até mesmo a família pode colocar o quebranto nela, tias, avós, de tanto que falam com a criança "ai que linda, que fofa". E isso com certeza afeta o sono dos pequenos.

Além disso, muitos adultos cada vez mais recorrem a medicamentos para dormir, relaxantes, calmantes. Andamos com a mente agitada, nos deitamos para dormir, mas a cabeça não "desliga". Você fica imaginando o que precisa fazer no trabalho no dia seguinte, o boleto que precisa pagar, a compra que precisa fazer... A hora de dormir é sagrada, pois nossa alma pode se deslocar para outros planos! Portanto, não leve ódio nem dívidas para a cama. A seguir, compartilho algumas dicas para acabar com a insônia de crianças e adultos para todos dormirem bem.

ORAÇÕES/ MAGIAS

Banho de camomila

A camomila é uma poderosa erva que relaxa nosso corpo e nossa mente. Muitas pesquisas evidenciam que o aroma da camomila relaxa nossas emoções, possui um efeito calmante e mais que isso: promove bem-estar mental e espiritual, já que ameniza a ansiedade.

Ingredientes
– 2 litros de água
– 50 gramas de camomila

Como fazer
Ferva a água, desligue o fogo e adicione a camomila. Deixe descansar e amornar. Jogue do pescoço para baixo após seu banho higiênico e não enxágue. O que restar da erva, jogue no lixo comum ou deixe na natureza.

Dica: um dia da semana ótimo para esse banho é a segunda-feira! Você também pode aproveitar e deixar uma xícara do chá reservada para tomar depois de seu banho. Quer mais fácil que isso? Bom relaxamento!

Banho de Jesus Cristo

Reveja na página 99.

Fitinha vermelha

Amarre uma fitinha vermelha no lado esquerdo da cabeceira da cama. A praga, a inveja, tem energia vermelha, então, a fita vermelha vai quebrar a energia que iria para o corpo.

Terço

Ele simboliza Maria, mãe de Deus e Nossa Senhora. Ela é a nossa mãe maior, intercede por nós e nos ajuda com as atribulações. Coloque o terço do lado esquerdo da cabeceira da cama.

Plantas

Arruda
Especialmente para os bebês: Pegue um galho de arruda e coloque embaixo do colchão. Troque o ramo a cada mês.

Arruda e alecrim
Pegue três ramos de alecrim (que traz alegria) e três ramos de arruda (ótima para mandar para longe a energia negativa). Junte-os e segure a mão da pessoa que está com dificuldade para dormir. Passe o ramo no ombro esquerdo e no direto; no pescoço; e no chacra do coração. Peça para a pessoa ficar de costas e repita o processo. Faça o ritual toda semana orando a Salve-Rainha.

Sem sapatos em casa!

Quando voltamos da rua, carregamos todas as energias que pegamos por onde andamos, e nem sempre elas são boas.

Ao chegar em casa, sempre tire os sapatos, pois toda essa energia que vem da rua cai diretamente no chão, fazendo-o sempre ter energia eletromagnética negativa.

Objetos

Se tem algo que não pode faltar num quarto é a cor lilás. Ela traz calma, é a cor da cura espiritual. Se não pode pintar o quarto totalmente dessa cor, tenha-a em alguns objetos: abajur, almofada, vaso. Também é muito importante ter a imagem ou a escultura de anjos, do anjo da guarda e de São Miguel Arcanjo.

PÍLULAS DE SABEDORIA DA MÁRCIA

A hora de dormir é sagrada, pois nossa alma pode se deslocar para outros planos!

Se quiser que sua vida voe, não leve ódio nem dívidas para a cama.

14. A DEPRESSÃO E A ESPIRITUALIDADE

Na atualidade, infelizmente, muitos de nós estão sendo acometidos por doenças mentais que, se não tratadas, podem até mesmo atingir a saúde do corpo físico. Dados da Organização Mundial de Saúde (OMS) de 2021 indicam, por exemplo, que o Brasil está entre os países que mais apresentam quadros de depressão e ansiedade em sua população. Nas Américas, ocupamos o segundo lugar. Além disso, o país também marca presença no ranking das nações que mais consomem antidepressivos.

A pessoa depressiva muitas vezes se encontra num estado de solidão com ela mesma, ou seja, não se reconhece mais, não consegue ter perspectiva nem fazer planos. Como vibra num nível baixo, tem seu padrão vibratório prejudicado e se torna mais suscetível a sofrer a influência de um obsessor ou um encosto. E vira um círculo vicioso: quanto mais depressiva a pessoa está, mais encostos em volta terá.

A depressão é uma doença, gente! Fazer tratamento psicológico com terapia e ter acompanhamento médico psiquiátrico, até para receber medicação adequada se for o caso, é fundamental. Praticar atividade física regularmente também é importante, pois vai proporcionar ao seu corpo a liberação de hormônios que causam bem-estar. Assim como é importante ter por perto pessoas que vibram positivamente, que te querem bem. Além disso, se autoconhecer e traçar metas possíveis podem ajudar muito a sair da depressão. Não se culpe pelo que está passando e sempre busque ajuda, você não está sozinha(o)! No entanto, além desses cuidados, não se esqueça da parte espiritual.

ORAÇÕES/ MAGIAS

Banho de anil

Faça todos os dias.

Ingredientes
– 2 litros de água
– 5 gotinhas de anil

Como fazer
Num recipiente, adicione a água e o anil, até que a mistura adquira o tom azulado. Tome o banho do pescoço para baixo.

Frutas

Se possível, consuma bastante mexerica e laranja-lima. Seja a própria fruta, seja o suco natural. Com o bagaço, esprema o máximo que puder num balde com água e limpe a sua casa.

Lírio-da-paz

O cômodo na casa com menor padrão vibratório é o banheiro. Assim, compre um vasinho com lírio-da-paz e coloque em algum cantinho do seu banheiro. Se ele murchar, é porque há

obsessores no ambiente. Troque e coloque um novo quantas vezes for necessário.

Banho de Jesus Cristo

Reveja na página 99.

Salmo 66

Ore durante 120 dias esse salmo, que está na página 66.

PÍLULAS DE SABEDORIA DA MÁRCIA

Depressão é doença e tem que ser tratada como tal!

Tristeza é diferente de depressão. Se estamos neste planeta, tristeza é uma realidade. Ficamos tristes com a morte de uma pessoa querida, com a perda de um amor. Mas temos que ficar atentos para não perpetuar a tristeza.

15. AGRADECE UM POUCO, CARAMBA! — SER GRATO É UM ATO PODEROSO

Como já falamos na página 24, o universo nos devolve aquilo que oferecemos a ele, e quanto mais dou, mais recebo. Vamos pensar no exemplo da bexiga: se eu pego uma bexiga e a encho de coisas ruins, de merda, quando soltá-la e ela voltar até mim, vou receber uma chuva de merda! Mas se, ao contrário, eu pego uma bexiga e a encho de coisas boas, de rosas, quando ela retornar, levarei um banho de rosas! Se eu passo a vida reclamando de tudo, achando que nada nunca está bom o bastante, imagine o que vou receber de volta? Reclamou, perdeu!

É muito importante ser grata(o) sempre! Agradeça por ter acordado, por ter o que comer, por ter uma casa, uma família, um trabalho. "Obrigada(o), meu Deus, porque eu comi arroz e feijão. Obrigada(o), meu Deus, porque dormi num travesseiro gostoso esta noite." E agradeça até pelos momentos e pelas experiências ruins que estiver passando — afinal, você vai tirar algum aprendizado disso.

Ser espiritualista é saber que não estamos presos a este corpo neste plano terreno, mas sim que o nosso espírito continua. Tudo que temos aqui não nos pertence de fato, a vida na Terra é passageira. Seja grata(o) por cada segundo, pela sua vida e pela vida de quem você ama. Lembre-se de que muitos gostariam de ter o que você tem. Desde um prato de comida até um abraço carinhoso.

Gratidão também é desapegar do que não usa mais e passar adiante, fazer doações. Ser grata(o) pelo que aquele objeto te proporcionou e dar a quem pode fazer bom proveito dele. Não importa se é caro, se é "de marca": se você não usa mais, desapegue!

E, por fim, eis as doze leis da gratidão, que transformarão sua vida para melhor:

1. Quanto mais em estado de gratidão você estiver, mais as coisas boas chegarão até você. Seja grata(o) pelo que você tem. Foque nisso, não no que te falta.
2. Ser feliz nem sempre te fará ser grata(o), mas ser grata(o) sempre te fará feliz.
3. Gratidão fomenta o verdadeiro perdão.
4. Seja grata(o) pelo que tem no presente, no agora.
5. Gratidão inclui tudo: dias bons, dias ruins. Ambos são essenciais.
6. Faça uma lista de tudo que merece a sua gratidão.
7. A mente grata nunca precisa de coisas como garantia.
8. Não adianta só dizer que é grata(o) sem viver a gratidão diariamente em suas ações.
9. Gratidão é retribuição.
10. A gratidão é o melhor sentimento que pode ter em relação aos entes queridos que partiram, não a tristeza.
11. Para ser realmente grata(o), esteja verdadeiramente inteiro no momento presente.
12. Abandonar o controle multiplica o potencial da gratidão. Aprenda a deixar ir, a desapegar.

ORAÇÕES/ MAGIAS

Oração de agradecimento a Deus

Querido, Deus! Eu agradeço por me lembrar do poder que possuo. Agradeço por me mostrar que sou protegida(o), guiada(o) e iluminada(o) pela Sua presença Divina no mais íntimo do meu ser.

Agradeço, Senhor, por me dar abrigo na tempestade, por endireitar o que está torto, por criar saídas onde parece não haver escapatória. Agradeço por me perdoar quando eu não posso ou não quero perdoar a mim mesma(o).

Agradeço, Senhor, pela Sua compaixão, pela Sua graça, pela Sua bondade, que estão sempre presentes, sustentando-me nos momentos mais difíceis. Agradeço, Senhor, por não me deixar esquecer que Você me habita e é a força que dá vida para a minha alma.

Agradeço, Senhor, pela pessoa que sou.

Agradeço por tudo que tens feito em minha vida: pela alegria de viver, por minha família, pelos meus amigos, pelo ar que respiro, pelos dons que me deste e pelos relacionamentos que possibilitam que eu cresça a cada dia.

Obrigada(o), PAI, pelas oportunidades que me tens dado de testemunhar o amor com que amas a mim e a todas as pessoas. Obrigado por Teu perdão e por me dar uma vida plena e abundante. Senhor, a Ti, que já És dono de tudo o que sou e que possuo, dedico a minha vida, clamando que ela possa ser usada para fins nobres e verdadeiros e que todos os frutos de minha vida Honrem e Glorifiquem o Teu nome. Em nome de JESUS!

Amém.

Agradeça: antes de dormir, pense em três coisas boas do dia. Pode ser um dinheiro que chegou, pode ser uma borboleta que passou pela sua janela. Mas mentalize apenas aquelas coisas boas e agradeça.

PÍLULAS DE SABEDORIA DA MÁRCIA 

Quanto mais em estado de gratidão você estiver, mais coisas boas chegarão a você. Seja grata(o) pelo que você tem. Foque nisso, não no que te falta.

Vivemos em desamparo se não tivermos fé em Deus.

Seja grata(o) pelos seus oponentes, que te fazem repensar fatos.

Seja sempre muito grata(o) por seus pais, que te trouxeram para viver a aventura da vida.

Acordou? Agradeça!
Se alimentou? Agradeça!
Tomou um banho quentinho? Agradeça!
Fez amor? Agradeça!
Viveu mais um dia? Agradeça!
Agradeça, agradeça, agradeça por esta maravilhosa experiência chamada vida!

CONCLUSÃO

Você, que chegou comigo até aqui neste livro, uma dica: mantenha ele por perto e leia sempre que precisar/ desejar. Consulte os assuntos quando se sentir afetada(o).

Seja grata(o), acenda sua luz e tenha foco no que você quer. Desse modo, você vai "voar" na vida, podendo conquistar paz de espírito, prosperidade, amor e alegria.

É aquele negócio: muitas vezes, o caminho que escolhemos é tão cheio de obstáculos, ficamos tão presos naquilo que esquecemos que para Deus nada é impossível: Ele pode te dar asas e te fazer voar!

Voa, cara! Voa!

Beijos,
Márcia Fernandes

#AGRADECIMENTOS

Agradeço, sempre e em primeiro lugar, a Deus;

Agradeço aos meus filhos, Fábio e Marcelo, por tanto amor e aprendizado;

Agradeço à minha família — do céu e da terra;

Agradeço ao meu editor, Guilherme Samora, por nossa parceria em mais este projeto maravilhoso;

Agradeço a você, que está lendo este livro. Que sua jornada seja linda. Voa!

Este livro, composto na fonte Fairfield,
foi impresso em papel pólen natural 80 g/m² na Leograf.
São Paulo, agosto de 2022.